FEDERAZIONE EUROPEA DELLA STAMPA TURISTICA
EUROPEAN FEDERATION OF TOURIST PRESS
EUROPAISCHEN FODERATION DER TOURISTIKPRESSE

11-18 GIUGNO 1994

8° Premio Europeo

"UN LIBRO PER IL TURISMO '94"

Menzione della Giuria

" Kraj Pod Tatrami "

a cura della Città di Poprad

Slovackia

THE
POKE

Il Direttore Generale
(Pier Francesco Quaglietti)

Il Presidente della Giuria
(Carlo Savini)

Il Presidente del Premio
(Antonio Conte)

F.E.S.T.

Todipromotion

Publikácii Kraj pod Tatrami bola v roku 1994 udelená Európska prémia na 8. ročníku festivalu Európskej federácie pre turistickú literatúru, ktorý sa konal v talianskom meste Todi

1

Kraj pod Tatrami

V 333 FAREBNÝCH FOTOGRAFIÁCH

ALEXANDER JIROUŠEK

Január 1996

To Jennifer, Max and Julie from Jana.

VYDALO VYDAVATEĽSTVO ORIENS KOŠICE
ROKU 1994

Zostavovateľ
ING. ALEXANDER JIROUŠEK

Autor textu
VLADIMÍR MAJOVSKÝ

Autor fotografií a textov k nim
ING. ALEXANDER JIROUŠEK

Autori ďalších fotografií
IVOR MIHÁL, ŠTEFAN PÉCHY, IVAN URBANOVIČ

© Vydavateľstvo Oriens Košice, 1994

ISBN 80–967220–5–0

KRAJ POD TATRAMI

Naše putovanie krajom pod Tatrami, tak ako je zvečnené na tristo tridsiatich troch fotografiách tejto reprezentačnej publikácie, sa odohráva na území severovýchodného Slovenska. Presnejšie môžeme trasu nášho putovania vymedziť do dotyku horného Liptova a severného Spiša. Jednoduchšie povedané – spoločne sa vhĺbime do jedinečnej a neopakovateľnej krásy Vysokých Tatier a krajiny rozprestierajúcej sa bezprostredne pod nimi.

KRAJ POD TATRAMI

Kraj s večným symbolom Slovenska, kraj drsný, ale aj pôvabný zároveň, kraj opradený mnohými povesťami a legendami, kraj plný omamnej krásy a činorodosti, ktorá sa tu za tisícročia naskladala do nepreberného bohatstva. Nemožno porozprávať a ukázať všetko, nemožno zachytiť všetky premeny života, ktoré sa tu odohrali od praveku. Tých symbolických tristotridsaťtri obrázkov reprezentuje výsledky diela predchádzajúcich generácií, pokiaľ ostali zachované až po súčasnosť, ktorá uskutočňuje ich odkaz.

KRAJ POD TATRAMI

Žiadny iný kraj na Slovensku nebol obdarený takým bohatstvom a rozmanitosťou prírodných útvarov, akými sú zoskupenia v rozmarnej členitosti Popradskej i Hornádskej kotliny či Spišskej Magury. Široký oblúk tohto pestrofarebného koberca je pretkaný viditeľnými aj skrytými krásami tvarov a farieb obilných lánov a lúk, osviežovaný množstvom riečok a potokov. Na hviezdnej oblohe kraja žiari plejáda ďalších hviezd prvej veľkosti. Žiaria až do najodľahlejších kútov horného Liptova a Zamaguria, ktoré boli domovom pracovitých a úprimných ľudí, tvorcov svojrázneho ľudového umenia.

KRAJ POD TATRAMI

Vďaka archeológom a historikom môžeme dnes s istou dávkou hrdosti povedať, že aj keď život a práca ľudu pod Vysokými Tatrami boli zdanlivo jednotvárne, predsa zanechali po sebe diela hmotnej i duchovnej kultúry neoceniteľnej hodnoty. Prvé stopy v osídlení tohto kraja nám zanechal človek neandertálskeho typu už asi pred 117 tisíc rokmi, ktorý žil pri teplých prameňoch travertínov v Gánovciach. A tak ako sa striedali letá so zimami, striedali sa generácie, menil sa aj spôsob života podtatranského ľudu. K pôvodným slovanským obyvateľom pribudli nemeckí kolonisti, ktorí prácu dobrých poľnohospodárov obohatili o zručnosť v remeselnej výrobe. Nebývalý rozvoj zaznamenáva tento kraj od 13. storočia. Drevené zrubové domy a chalupy nahradili kamenné domy, postavil sa rad miest a mestečiek, ktorých dominantu tvorili kostoly, kláštory a opevnenia. Mnohé z nich sa stali významnými strediskami manufaktúrnej výroby a obchodu. Staviteľský um vtedajších majstrov si veru zaslúži našu úctu i obdiv aj dnes.

KRAJ POD TATRAMI

V tisícročnej histórii Slovenska mal kraj pod Tatrami neraz rozhodujúce slovo a zohral v nej významnú úlohu. Svojou polohou bol pevným zázemím a záštitou pre ostatné územia Slovenska, otvorené oddávna nájazdom mnohých dobyvateľov. Mnohokrát sa v tomto kraji bojovalo o holú existenciu. Aj keď impozantný masív Vysokých Tatier tvoril prírodnú hradbu na severe, nebolo ani toto územie ušetrené od vojnových hrôz. Prehnali sa ním Tatári, neskôr husiti a Švédi, ale aj armády všemocného Napoleona a mnohí ďalší. Tie posledné vojnové hrôzy sa skončili v roku 1945. Po tomto pamätnom roku rinčanie zbraní ustalo, ale stali sa veci a udiali udalosti dnes už skoro nepochopiteľné. Tých dlhých vyše 40 rokov až do pamätného 17. novembra 1989 náležite zhodnotia nové generácie.

KRAJ POD TATRAMI

Nechajme však minulosť minulosťou a vráťme sa opäť do kraja pod Tatrami, ktorého dominanta v podobe skalných brál oddávna vplývala na povahu jeho ľudu. V bohatej duchovnej kultúre sa zachoval rad povestí, piesní i melódií dotvorený ľudovým odevom a zvykoslovím. S nimi sa stretávame ešte aj dnes pri príležitosti rôznych cirkevných i svetských výročných sviatkov. Uchovávajú sa v súboroch ľudových hudobníkov a spevákov i v spevácko-tanečných skupinách. Čoraz vzácnejší sú nositelia slovesného ľudového umenia a preto toto dedičstvo zapisujeme do kníh, aby sme si ho uchovali čo najdlhšie živé. V ľudovom umení kraja pod Tatrami – ako v žiadnom inom na Slovensku – nájdeme prvky naraz niekoľkých etnických regiónov. Zo západu nás privítajú piesne a obyčaje horného Liptova a Horehronia, ktoré pri ceste podtatranským krajom smerom na východ striedajú zase melódie obyvateľov hornádskej doliny. Trochu menej sa toho zachovalo v Popradskej kotline, na severovýchode sa s nami rozlúčia hrdí Gorali pod Spišskou Magurou.

KRAJ POD TATRAMI

Svojrázny kraj. Príťažlivý krásou prírody, kultúrnymi pamiatkami a predovšetkým ľuďmi. Ľuďmi v poslednej dekáde dvadsiateho storočia a druhého tisícročia. Pretože práve prostredníctvom nich bol vytváraný a pretváraný do dnešnej podoby. Oko umeleckého fotografa je mimoriadne citlivé. Tak citlivo je v tejto knihe stvárnený aj tento kraj. Možno aj o čosi krajšie, než aký v skutočnosti je. Aj keď predchádzajúce desaťročia nič neubrali z malebnosti a krásy okolia, predsa len sa k nemu zachovali macošsky. Plienilo sa a drancovalo. Nepochopiteľne nám chradla príroda, chátrali vzácne historické objekty a hádam už iba naši potomkovia náležite zhodnotia všetky necitlivé zásahy našich predchodcov. Človek-obdivovateľ sa zmenil na človeka-turistu. Pravdaže, aj turisti patria k nadšencom a obdivovateľom nášho kraja. Množstvo zariadení turistického ruchu v samotných Vysokých Tatrách i v okolí privíta každého s otvorenou náručou, dobrým pohostením i vľúdnym slovom. Príliš rýchle životné tempo, motorizácia, rozvoj priemyslu a služieb nedopriali ani tomuto kraju čas na regeneráciu, akosi sa zabudlo na to, že nie všetko staré je staré, a že aj ono sa môže zaskvieť v novej kráse. Tak veru, zabudli sme na svet okolo nás. Máme však dostatok príležitostí na to, aby sme ešte zachránili, čo sa dá. Môžeme preto obcivovať vzácnu flóru i faunu Vysokých Tatier a po dúšku čistej vody z tatranskej studničky nám bude dopriate zahľadieť sa do nekonečných výšok tatranských končiarov. A odtiaľ zase do údolia a okom pozorovateľa uhádnuť meno toho-ktorého mesta či dedinky. Všetka tá neopakovateľnosť a jedinečnosť minulosti i súčasnosti tohto kraja je uchovaná nielen v archívoch a múzeách, ale nachádza sa všade okolo nás. Totiž už od doby kamennej priťahoval tento kraj človeka, aby si tu vytvoril svet plný harmónie a čara, ktorému ani tisícročia nič neubrali z jeho krásy.

KRAJ POD TATRAMI

Nuž, milý čitateľ, zalistuj v našej knihe a pokochaj sa nádherou hľadiacou na Teba z tristo tridsiatich troch obrázkov vo všetkých farbách. Kraj pod Tatrami je štedrý a privíta každého, kto prichádza s dobrým úmyslom.

2

3

◄
1. Pohľad na Kráľovu hoľu z Lomnického štítu cez Popradskú kotlinu, zahalenú do príkrovu mračien

2. Celkový pohľad na Poprad s Vysokými Tatrami v pozadí
3. Najstaršie dejiny Popradskej kotliny sa odvíjajú od travertínovej kopy Hrádok v Gánovciach, známej nálezom travertínového odliatku lebky neandertálca z poslednej doby ľadovej
4. Neďaleko obce Veľký Slavkov sa nachádza lokalita Burich, známa bohatými vykopávkami z eneolitu, zo staršej doby bronzovej, halštatskej i zo staršej doby rímskej. Slovanské nálezy pochádzajú z 10.–12. storočia
5. Pylón neďaleko obce Štrba pripomína zánik stredovekej osady Šoldovo

4

5

6

7

6. Za dominantami Popradu sa vypína Gerlachovský štít, najvyšší vrchol Vysokých Tatier, ale i celého Slovenska

7. Historické jadro mesta Poprad

8. Renesančná zvonica so štítovou atikou a veža ranogotického rím. kat. kostola sv. Egídia z rokov 1220–1230 v Poprade

9

10

11

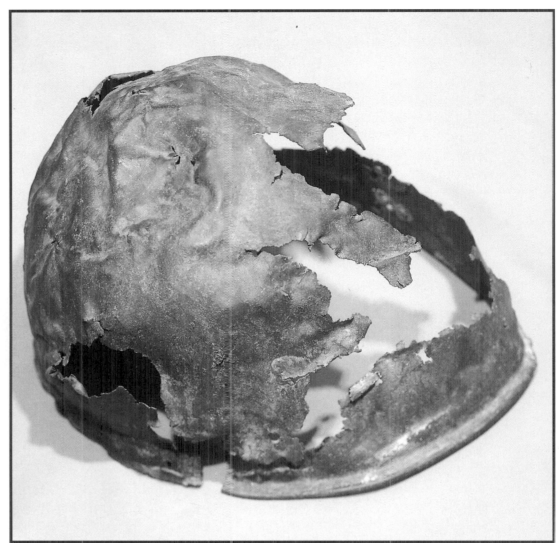

12

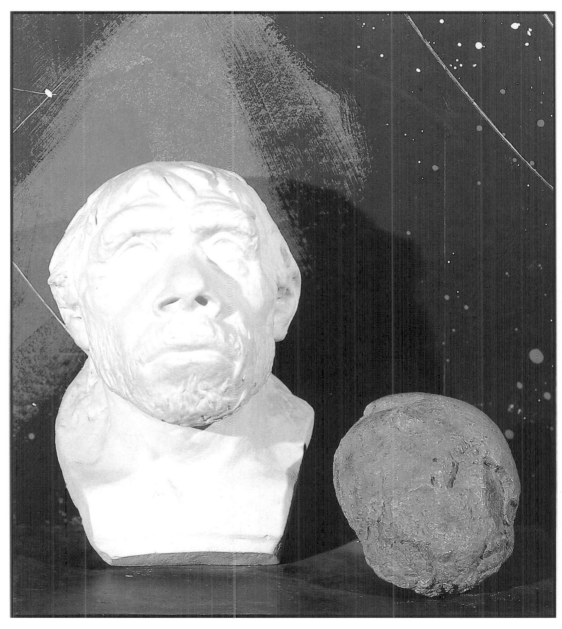

9. Budova Podtatranského múzea v Poprade z roku 1886
10. Dominantou archeologickej expozície Podtatranského múzea sú nálezy z Gánoviec-Hôrky
11. Keltská minca z náleziska Burich
12. Keltská prilbica
13. Travertínový výliatok mozgu s hlavou neandertálca (rekonštrukcia)

14. Poprad sa prebúdza do nového dňa ▶

13

15

16

18

20

22

(15.–22.) Tvár súčasnému Popradu dáva novšia architektúra

15. Budova Mestského úradu
16. Obchodný dom PRIOR
17. Budova Všeobecnej úverovej banky, v pozadí hotely Satel a Gerlach
18. Dom služieb
19. Nemocnica a poliklinika
20. Obchody a obytné domy v pešej zóne
21. Krytá plaváreň
22. Zimný štadión

23. Obchodné a administratívne centrum
24. Hotel Poprad
25. Poprad – mestská časť Veľká
26. Gotická monštrancia z Popradu-Veľkej
27. Vstupná časť mestskej pamiatkovej rezervácie Spišská Sobota

▶

23

24

28

29

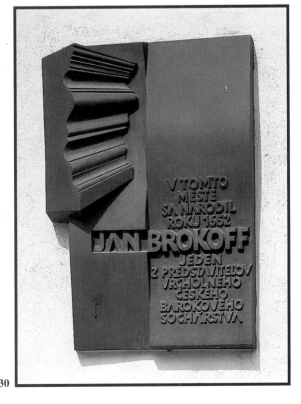

V TOMTO
MESTE
SA NARODIL
ROKU 1652
JAN BROKOFF
JEDEN
Z PREDSTAVITEĽOV
VRCHOLNÉHO
ČESKÉHO
BAROKOVÉHO
SOCHÁRSTVA

30

28. Spišská Sobota. Kedysi samostatné mestečko, od roku 1945 pričlenené k Popradu. Od roku 1950 je vyhlásené za mestskú pamiatkovú rezerváciu. Pohľad na stredoveké meštianske domy

29. Arkier nad portálom renesančného domu č. 41

30. Pamätná tabuľa rodákovi zo Spišskej Soboty, barokovému sochárovi Jánovi Brokoffovi, známeho vytvorením sôch na pražskom Karlovom moste. Umiestená je na dome č. 27, postavenom v roku 1740

31. Štuková výzdoba priečelia meštianskeho domu v Spišskej Sobote

32. Zimná idyla v mestskom parku. V popredí pamätník padlým v revolučnom roku 1848 a v prvej svetovej vojne

33. Barokový mariánsky stĺp z roku 1772 v Spišskej Sobote

34. Rím. kat. pôvodne románsky kostol sv. Juraja z polovice 13. storočia, goticky prestavaný v roku 1464, zbarokizovaný v 18. storočí. Renesančná zvonica z roku 1598 má barokovú atiku z roku 1728. V interiéri kostola môžeme obdivovať skvosty gotického umenia, ktoré patria medzi najkrajšie nielen na Spiši, ale i v Európe. Unikátny je najmä hlavný oltár s drevorezbami od Majstra Pavla z Levoče z roku 1516

35

36

35. Pohľad do chrámovej lode kostola sv. Juraja v Spišskej Sobote. V popredí dominuje skupina plastík Kalvárie z roku 1489
36. Plastika sv. Juraja na koni (177 × 180 cm) z hlavného oltára

37. Detail Poslednej večere z hlavného oltára
38. Unikátny je aj prenosný gotický oltárik s plastikou ukrižovaného z rokov 1480–1490
39. Dvojloďová západná časť kostola sv. Juraja v Spišskej Sobote s ranobarokovým organom (okolo roku 1700) z Grossovej dielne zo Spišskej Soboty

37

38

40

41

44

45

46

47

40. Interiér rím. kat. kostola Všechsvätých v Batizovciach. Pôvodne románska stavba z 13. storočia prešla gotickými úpravami v 14. a 15. storočí. Barokové oltáre Panny Márie, sv. Dzimu a sv. Jozefa pochádzajú z rokov 1764–1767

41. Románsky portál – pozostatok pôvodnej stavby kostola Všechsvätých v Batizovciach

42. Gotická nástenná maľba v kostole Všechsvätých v Batizovciach z polovice 14. storočia zobrazuje korunováciu a smrť Panny Márie

43. Rím. kat. kostol sv. Štefana kráľa z 2. polovice 13. storočia a zvonica z konca 16. storočia v Matejovciach

44. Najvzácnejšou pamiatkou v kostole Štefana kráľa v Matejovciach je gotická plastika z 1. polovice 14. storočia (1327 ?) Kristus na kríži

45. Interiér rím. kat. románskeho kostola z 13. storočia v Mlynici, goticky prestavaného v rokoch 1425–1434. Historicky najcennejší je neskorogotický hlavný oltár sv. Margity zo začiatku 16. storočia z dielne Majstra Pavla z Levoče. Vpravo je bočný neskorogotický oltár sv. Mikuláša biskupa

46. Ladislavská legenda – ranogotická nástenná maľba v sakristii kostola Kataríny Alexandrijskej vo Veľkej Lomnici zobrazuje boj sv. Ladislava s Kumánmi

47. Románsko-gotický kostol sv. Kataríny Alexandrijskej z polovice 13. storočia vo Veľkej Lomnici. V pozadí panoráma východnej časti Vysokých Tatier

48. Neskorogotický oltár Panny Márie z roku 1493 z toho istého kostola je takisto významným predstaviteľom gotického umenia

48

49. Dvojloďové členenie je typickým znakom gotických kostolov na Spiši, ako to vidíme aj v kostole sv. Kataríny Alexandrijskej vo Veľkej Lomnici

50. Jeseň vo Veľkom Slavkove. Obec sa spomína už v roku 1251. Neskôr bola kolonizovaná Nemcami, podobne ako celý rad spišských miest a obcí, a bola začlenená do Spoločenstva spišských Sasov.

51

Právo používať erb – 1463

52

51. Pohľad na časť Popradskej kotliny, kde leží Kežmarok, v stredoveku jedno z najvýznamnejších spišských miest. Pre veľký počet historicky významných pamiatok bolo centrum mesta vyhlásené za mestskú pamiatkovú rezerváciu. Prvýkrát sa spomína v roku 1251 pod názvom villa circa ecclesiam beate Elisabeth. Územie však bolo osídlené už v neolite a eneolite; bohaté sú nálezy zo staršej i mladšej doby bronzovej, ako aj halštatskej. Známe sú dôkazy, že sa tu nachádzalo sídlisko z doby rímskej i slovanskej. Dnešný názov je údajne odvodený od názvu nemeckej osady pomenovanej podľa najpredávanejšieho tovaru na trhu – syra (Käse - Markt). Historici však vedú na túto tému neustále rozpravy

52. Kráľovská listina z roku 1463, ktorou sa udeľuje slobodnému kráľovskému mestu Kežmarok právo používať mestský erb

53. Na pozadí Vysokých Tatier vyniká veža radnice mesta Kežmarok. Radnica bola postavená v roku 1461 majstrom Jurajom zo Spišskej Soboty a bola niekoľkokrát prestavaná (1541–1553, 1799, 1922, 1967–1970)

54. Pôvodne goticko-renesančné meštianske domy s typickými sedlovými strechami na Hradnom námestí v Kežmarku

55. Klasicistická budova reduty z roku 1818

56. Architektúru meštianskych domov dopĺňajú priechodové oblúky pri vstupe do bočných uličiek

53

54

57

57. Pohľad na areál neskorogotického kostola sv. Kríža, stavaného v rokoch 1444–1498, renesančnú zvonicu z rokov 1589–1591 a faru
58. V roku 1991 oživili v Kežmarku tradíciu ľudových umeleckých remesiel
59. Gotická liata krstiteľnica z roku 1472 s medeným barokovým vrchnákom patrí medzi najvzácnejšie pamiatky kostola sv. Kríža v Kežmarku
60. Pohľad do monumentálne pôsobiacej chrámovej lode kostola sv. Kríža s hviezdicovou gotickou klenbou a barokovým organom

58

61

61. Interiér dreveného artikulárneho kostola v Kežmarku z roku 1717, postaveného staviteľom Jurajom Müttermannom. Národná kultúrna pamiatka
62. Evanjelický kostol postavený v neobyzantskom slohu v rokoch 1879–1892 podľa projektov viedenského architekta Theofila von Hansena

63

64

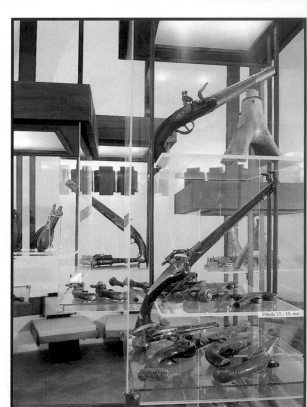

65

63. Kežmarský hrad bol pôvodne neskorogotickou stavbou zo 14.–15. storočia. Renesančne bol prestavaný koncom 16. storočia a v roku 1624. Poslednou bola rekonštrukcia hradu po roku 1945. V priebehu stáročí spoznal viacerých majiteľov. Bolo tu sídlo Jiskrovej posádky, z jeho múrov vládol kraju Imrich Zápoľský, Stanislav Thurzo i Štefan Thököly. Od roku 1931 je v hrade umiestené Kežmarské múzeum

64. Expozícia obuvníckeho cechu

65. Expozícia historických zbraní zo 17.–19. storočia

66. Monumentálny ilustrovaný plán podtatranskej oblasti a plastická mapa Vysokých Tatier v Kežmarskom múzeu

67

68

70

71

67. Nábytok z radničnej siene v expozícii Kežmarského múzea
68. Interiér ranobarokovej hradnej kaplnky z roku 1658
69. Hradná kaplnka – pohľad z nádvoria
70. V Kežmarskom lýceu, známom v celom bývalom Rakúsko-Uhorsku, študovali poprední slovenskí národovci. V jeho knižnici sa nachádza značný počet vzácnych kníh
71. Detail priečelia Kežmarského lýcea, ktoré je i s knižničným fondom národnou kultúrnou pamiatkou

72

73

72. Nádvorie kaštieľa v Strážkach
73. Renesančný kaštieľ v Strážkach, postavený v rokoch 1570–1590, národná kultúrna pamiatka. Po nedávnej rekonštrukcii slúži ako vysunuté pracovisko Slovenskej národnej galérie v Bratislave

74. Gotický rím. kat. jednnoloďový kostol sv. Anny v Strážkach je známy gotickými freskami a gotickými krídlovými oltármi
75. Renesančná zvonica z roku 1624 v Strážkach
76. Typickým predstaviteľom spišskej renesancie je zvonica z roku 1644 vo Vrbove. Mariánsky stĺp pochádza z rokov 1724–1730

74

76

77

78

77. Ďalším z historických spišských miest je Spišská Belá. Vznikla z pôvodnej slovenskej obce, prvé písomné zmienky o nej sú z roku 1263

78. Barokový mariánsky stĺp Immaculaty z roku 1729

79. Pohľad do jednej z expozícií Petzvalovho múzea v Spišskej Belej

80. Dominantnými stavbami v Spišskej Belej sú kostol sv. Antona-pustovníka a rodný dom Jozefa Maximiliána Petzvala, fyzika a matematika, pôsobiaceho na Viedenskej univerzite, priekopníka modernej fotografickej optiky. Dnes je v jeho rodnom dome zriadené múzeum fotografickej optiky a techniky

81. Busta Jozefa Maximiliána Petzvala (6. 1. 1807–17. 9. 1891) pred rodným domom

82. Pôvodný fotografický objektív vysokej svetelnosti, skonštruovaný podľa Petzvalových výpočtov, osadený v kovovej komore, zhotovenej optikom Voigtländerom

80

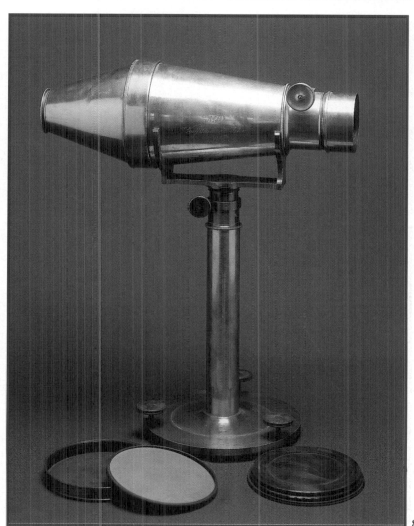

82

83

84

88

89

83. Najväčším priemyselným strediskom podtatranskej oblasti je Svit. Je tu sústredený chemický, strojársky i pletiarsky priemysel. Jeho základy boli položené v roku 1934. V tom čase začala firma Baťa výstavbu mesta i továrenských objektov

84. Spoločenský dom vybudoval vo Svite továrnik Baťa. Od počiatku slúži kultúrno-spoločenským účelom

85. Hotel Lopušná dolina 3 km od Svitu v pôvabnom prostredí s vlekmi v oboch smeroch poskytuje návštevníkom ideálne podmienky na oddych

86. Svätému Jozefovi je zasvätený rímskokatolícky kostol vo Svite, ktorý bol postavený v rekordnom čase

87. Interiér rímskokatolíckeho kostola vo Svite

88. Dôležitou inštitúciou, od ktorej závisí celý rad priemyselných, poľnohospodárskych odvetví, doprava a pod., je meteorologická stanica v Gánovciach

89. V ústrednom meteorologickom laboratóriu sa vyhodnocujú synoptické mapy na predpoveď počasia

90. Vypúšťanie balóna s meteorologickou sondou v Gánovciach

91

92

91. Na južnom úpätí Vysokých Tatier, v západnej časti Popradskej kotliny, leží obec Mengusovce. Prvá zmienka o nej je z roku 1398. Jej obyvatelia boli kedysi známi ako korytári a uhliari, dnes je to obec s vyvinutým chovom dobytka. Úspešne sa tu rozvíja turistický ruch

92. V drsných podtatranských podmienkach sa dobre darí zemiakom. Pohľad na lány Výskumnej zemiakárskej stanice vo Veľkej Lomnici

93. Aj kvet zemiaka má svoju poéziu . . .

94. Klasy obilia dozrievajú pod tatranskými velikánmi

96

98

▶

95. Jeseň na svahoch Spišskej Magury

96.–101. Chov oviec je dnes rozšírený v celej podtatranskej oblasti. Pri prechádzkach vás v každej doline sprevádza zvuk zvoncov pasúcich sa oviec. Na prvý pohľad idyla, v skutočnosti však ovčiarstvo vyžaduje tvrdých chlapov a poctivú prácu. Tu vám priblížime jeden deň na salaši v Liptovskej Tepličke

102

104

102.–106. Po stáročia, od najstarších dejín ľudstva, prebiehal proces zbližovania človeka a zvieratstva

◄

107. Predjarie v Liptovskej Tepličke, rázovitej obci pod úpätím Kráľovej hole. Založili ju goralskí osadníci z Hornej Oravy. Prvýkrát sa spomína v roku 1634

108. Po zimných zakáľačkách rozvoniava Liptovská Teplička charakteristickou arómou z domácich udiarní

109., 110. Nikde na Slovensku nenájdete pivnice hĺbené do zeme, aké sú v Liptovskej Tepličke. Slúžia predovšetkým na zimné uskladnenie zemiakov. Dnes už sú chránené ako pamiatkové objekty

111., 112. Vynášanie moreny. Starodávny zvyk, ktorý sa traduje od pohanských čias, môžeme dnes vidieť v podaní folklórnej skupiny v Liptovskej Tepličke. Dievčatá morenu – figurínu zo slamy oblečenú do ľudového odevu – najprv nosia po celej dedine, pritom spievajú, vyvolávajú ľudové porekadlá, aby ju nakoniec – už vyzlečenú – zapálili a hodili do potoka. Tým sa symbolicky končí vláda zimy

108

110

113., 114. Veľkonočné sviatky vítajú sviatočne vyobliekané dievčatá z Batizoviec. Tunajšie vy-
škrabávané kraslice sú jedny z najkrajších na Slovensku

115

116

115. Uprostred rozkvitnutých jarných lúk sa dívame na podtatranské obce – Šuňavu, Štrbu a Tatranskú Štrbu. Posledná z nich je najvyššie položenou obcou na Slovensku (1 112 m)

116. Fujarista zo Štrby

117. Dievčatá a ženy zo Štrby vo sviatočných odevoch

118

119

118. Prvá historická zmienka o obci Štrba pochádza z roku 1290. Leží na južnom úpätí Tatier, na rozhraní Popradskej a Liptovskej kotliny, v pramennej oblasti zdrojníc riek Poprad a Váh

119. Objekty základnej školy v Tatranskej Štrbe svojou architektúrou vhodne zapadajú do okolitej prírody. Je to najvyššie položená škola v Česko-Slovensku

120. Pamätná tabuľa národnému umelcovi Martinovi Benkovi na dome č. 566 v Štrbe. Jej autorom je akad. sochár Imrich Svitana a bola odhalená pri príležitosti stého výročia narodenia umelca

121. Novostavba Obecného úradu v Štrbe je postavená v štýle tatranskej architektúry

120

121

122

123

122. Štrba pod snehovým príkrovom
123. Počas vianočných sviatkov chodia od domu k domu v Štrbe betlehemci a predvádzajú veršovanú pastiersku hru. Dobrá gazdiná ich odmení výslužkou i pochvalou. V súčasnosti tento zvyk predvádzajú chlapci z folklórneho súboru Štrbiančok
124. Ľudový odev starých žien zo Štrby

125

127

128

125.–128. Keď sú v Batizovciach fašiangy, je na nohách celá dedina. Sprievod masiek, v ktorom sú slameniak, bruch

áč, kováči, vyberačky vajec, harmonikár i speváci z miestnej folklórnej skupiny, tiahne ulicami. V každom dome nechajú po sebe nejakú pamiatku – najčastejšie sú to začiernené tváre ružolících dievčat. To majú na svedomí kováči, svojimi kolomažou natretými rukami. Vyberačky vajec zasa „navštívia" každý kurín a vyberú všetky čerstvo znesené vajíčka. Za peknú pieseň je nakoniec celý sprievod odmenený pohárikom pálenky i kusom slaniny, klobásy či koláčom, a ide sa ďalej . . .

129

129. Na pozadí malebných Vysokých Tatier v údolí Bieleho Váhu sa vám predstavuje podtatranská obec Važec v plnej svojej kráse. Vznikla v 13. storočí. Jej obyvatelia sa v minulosti zaoberali chovom hovädzieho dobytka i oviec, ťažením a predajom dreva a piliarskych výrobkov, šindliarstvom, povozníctvom i pltníctvom. Smutnou epizódou v histórii obce bol požiar v roku 1931, keď ľahol popolom takmer každý dom . . . Dnes je to novovybudovaná, úhľadná obec, zaujímavá aj z národopisného hľadiska. Pôsobil tu maliar Tatier – Ján Hála (1890–1959). V tesnej blízkosti, v podzemí, je známa kvapľová Važecká jaskyňa, ktorá svojou krásou láka každoročne tisíce návštevníkov. Symbolický Kriváň – prvý zľava pri pohľade na panorámu Vysokých Tatier – sa zdá byť z tohto pohľadu ich najvyšším vrcholom. Je to však len optický klam

131

132

134

136

132.–138. Vo Východnej sa od roku 1953 pravidelne koná vrcholná prehliadka folklórnych skupín predovšetkým zo všetkých regiónov Slovenska. Ako hostia sem prichádzajú folklórne skupiny z Čiech, Moravy a Sliezska, ako aj zo zahraničia. V tie dni je obec slávnostne vyzdobená, v oknách domov sú vystavené ľudové výrobky zručných miestnych výrobcov. Folklórny festival sa začína sprievodom dedinou, keď jedna skupina prehlušuje druhú, veselo je medzi účinkujúcimi aj medzi divákmi. Všetci kráčajú do amfiteátra na hornom konci dediny, vyzdobeného ľudovými drevorezbami, aby sa po dva dni v roku oddávali svojej veľkej láske – folklóru . . . A je dobre, že zvyky našich predkov nevymiznú

137

138

139

140

139.–141. Z hĺbky takmer 1 km vyviera na povrch zeme termálna voda, teplá 56–65 °Celzia, neďaleko obce Vrbov. Od roku 1981 tu vznikla sústava 6 bazénov, slúžiacich liečebným i rekreačným účelom. V letných mesiacoch je areál kúpaliska obliehaný tisíckami návštevníkov. Termálna voda má blahodarný vplyv najmä na pohybové ústrojenstvo
142. Aj v Poprade majú možnosť plným dúškom vychutnávať radosti krátkeho podtatranského leta

143

143., 144. Predstavujeme vám dva najväčšie stromy pod Tatrami: jedľa biela – kráľovná Nízkych Tatier – je vysoká 41 m a v prsnej výške jej obvod meria 436 cm. Nájdete ju v Kubíčkovej doline neďaleko horárne na ceste zo Šuňavy do Liptovskej Tepličky. Lipa, ktorej vek odhadujú na 600 rokov, je pravdepodobne najväčšou na Slovensku. Obvod kmeňa v prsnej výške je 745 cm; lipa je vysoká približne 20 m. Nachádza sa pri majeri Pustovec neďaleko obce Toporec

145

146

147

145. Hornádska kotlina je zaujímavou časťou podtatranského regiónu. Zo severu ju lemuje Kozí chrbát, z juhu Nízke Tatry. Pekný pohľad do nej je z vrcholu Jedlinskej

146. Stará kováčska dielňa v Kravanoch

147. Zrubové sýpky vo Vikartovciach

148. Pôvodne gotický rím. kat. kostol v Spišskom Bystrom, neskoršie upravený v neogotickom slohu

149. Spišské Bystré, ktoré sa prvýkrát spomína v roku 1294, sme do roku 1948 poznali pod názvom Kubachy

149

151

152

◄

150. Hornádska kotlina od Hranovnice. V pozadí Kozí chrbát, za ním Vysoké Tatry

151. Pohľad na obec Vikartovce

152. Cestou z Hranovnice do Popradu míňame Kvetnicu. Uprostred smrekových lesov tu vzniklo v 90. rokoch minulého storočia sanatórium na liečbu tuberkulózy a respiračných chorôb. Ústredná budova po rekonštrukcii

153. Na rozhraní Nízkych Tatier a Slovenského rudohoria sa predstavuje Vernár, ktorého zrod siaha do roku 1295. Od 16. storočia patril muránskemu panstvu

154. Jazierko v areáli sanatória v Kvetnici. Je tu oáza ticha a čistého, liečbu podporujúceho vzduchu

155.–157. Niet dediny či mestečka pod Tatrami, kam by na jar nezavítali milí hostia – bociany. S obľubou hniezdia na starých i na nových komínoch, pričom zvyčajne ignorujú hniezdiská, ktoré im pripravujú obetaví ochrancovia prírody. Tak je to aj v obci Mlynica. Na jeseň, keď prichádza čas odletu do Afriky, koná sa na poliach veľký snem a nasleduje spoločný odlet…

▶

158. Zakrátko nato udrú prvé mrazy, na stromoch sa objaví srieň a podtatranské polia osirejú

155

159

161

159. Čoraz viac lyžiarov s obľubou využíva lyžiarske svahy nad Liptovskou Tepličkou

160. Rovnako je to aj v lyžiarskom stredisku vo Vernári. Odbremenia sa tým preťažené zimné strediská vo Vysokých Tatrách
161., 162. Poézia zimy pod Kráľovou hoľou

160

162

163

164

163. Čarovný zimný večer na druhom nádvorí Červeného Kláštora, významnej národnej kultúrnej pamiatky, ležiacej v Pieninách, na brehu rieky Dunajec
164. Refektár s rebrovou sieťovou klenbou zo 16. storočia
165. Archeologická expozícia v priorskom domčeku približuje najstaršie dejiny Červeného Kláštora
166. Portrét kamaldulského mnícha, maľba na lavici kartuziánskeho kostola v Červenom Kláštore
167. Expozícia sakrálneho umenia
168. Lekárnická expozícia v mníšskom domčeku približuje návštevníkom múzea stredoveké liečiteľstvo, ktoré vyzdvihovalo najmä blahodarné účinky liečivých rastlín na ľudský organizmus. Tu pôsobil mních Cyprián, botanik, lekárnik a liečiteľ, autor herbára liečivých rastlín

165

167

168

169

170

169. Pekné prírodné prostredie i zaujímavá história neustále priťahujú tisícky návštevníkov na prehliadku Červeného Kláštora

170., 171. Pracovníci Podtatranského múzea v Poprade každoročne pripravujú na nádvorí Červeného Kláštora zaujímavé výstavy. V roku 1988 to bola výstava poľných strašiakov, v roku 1989 výstava včelích úľov

172

174

172. Pohľad na Červený Kláštor z juhu
173. Priorský domček a kláštorná studňa na treťom nádvorí
174. Mníšsky domček, v ktorom pôsobil mních Cyprián

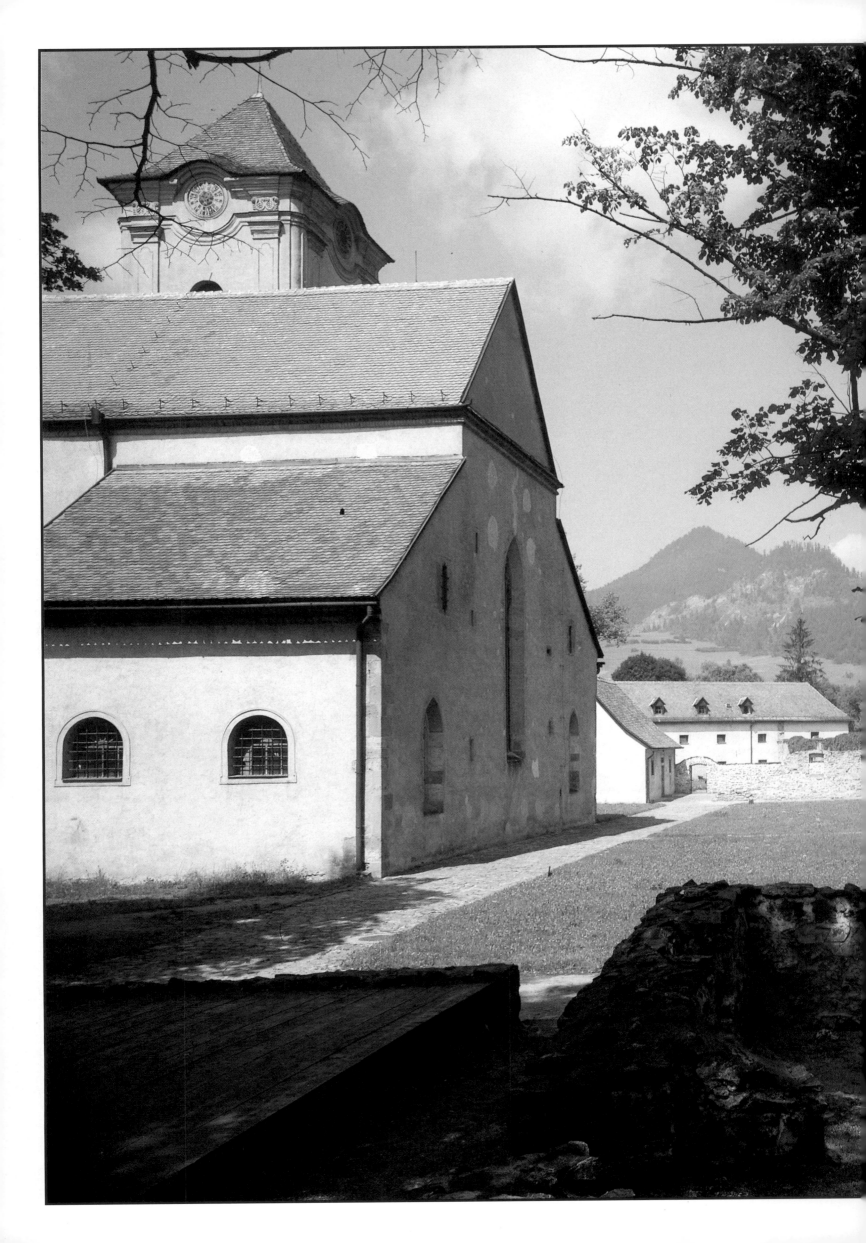

176

178

180

◄

175. Priam rozprávkovú kulisu vytvárajú Červenému Kláštoru Tri Koruny – Tie sú však už na poľskom území, na druhom brehu Dunajca

176.–183. Zamagurské folklórne slávnosti sú najväčším kultúrnym sviatkom celého Zamaguria. Amfiteáter pod Tromi Korunami ožíva goralskými piesňami, ľudovými zvykmi i humorom. Predstavujú sa sólisti, detské súbory aj súbory dospelých s tým najkrajším, čo pokladnica ľudového umenia po stáročia uchováva v učupených, kedysi veľmi ubiedených dreveniciach tohto regiónu, nazývaného tiež severný Spiš.

184. Perla Zamaguria – prielom rieky Dunajec – poskytuje nevšedný zážitok turistom, splav na pltiach z Červeného Kláštora do Lesnice v dĺžke 7 km. Je to súčasne najpohodlnejší spôsob prehliadky krásnych scenérií Pieninského národného parku ►

182

183

185

186

185. Pltníci v perejách Dunajca pod Siedmimi mníchmi
186. Najvzácnejšou rastlinou Pieninského národného parku je endemit králik Zawadského *(Chrysanthema Zawadskii)*. Okrem Pienin a Uralu sa nevyskytuje nikde inde na zemeguli

187. Keď na jar zakvitne tarica skalná *(Alyssum saxadile)*, všetky sivé skaly v prielome Dunajca dostanú nový žltý šat

188. Medzinárodný pieninský slalom priláka každoročne na pereje Dunajca popredných
vyznávačov tohto náročného športu z celej Európy. Jeho zakladateľom bol v roku 1954
Dušan Benický, dnes už legendárna osobnosť Zamaguria

189

190

189. Centrom Zamaguria je mesto Spišská Stará Ves. Najstaršia zmienka o nej je z roku 1326. Dnes sa tu rozvíja strojársky a textilný priemysel. Mesto je turistickým východiskom do Pieninského národného parku

190. Priečelie rím. kat. pôvodne gotického kostola Nanebevzatia Panny Márie z 2. polovice 14. storočia v Spišskej Starej Vsi. Zbarokizovaný bol v roku 1772

191. Kamenný reliéf na južnej stene kostola v Spišskej Starej Vsi

192. Spišské Hanušovce

193., 194. Obec Zálesie bola známa v 17. storočí ako majer nedeckého panstva. Je veľmi dobre ukrytá v Zamagurských lesoch a život tu nie je ľahký ani dnes

192

194

196

197

198

197. Osturňa je pamiatkovou rezerváciou ľudovej architektúry. Prechádzku po nej začneme
z horného konca
198., 199. Príprava dreva na zimu je v Osturni jednou z najdôležitejších činností

200. V gazdovskom dvore sa začína práca, ktorá zabezpečí ▪rodu na úzkych horských políčkach

201

201. Osturnianske dievčatá vo sviatočnom ľudovom odeve s typickými červeno-bielymi doplnkami na rukávoch pred domom č. 112

202.–207. Okno – do sveta oko. Aj keď osturniansky svet je malý, pre Osturňanov je zo všetkých najkrajší . . .

202

203

204

205

206

207

209

210

208. Jesenné zátišie v Osturni
209. Vysoké a Belianske Tatry zo Spišskej Magury
210. Posledné dotyky s podtatranskou jeseňou

211

212

211. Ždiar je najväčšou pamiatkovou rezerváciou ľudovej architektúry v podtatranskej oblasti. Tiahne sa v dĺžke 7 km v podhorí Belianskych Tatier, v tesnom susedstve so Spišskou Magurou. Obec bola založená v 14. storočí v čase valašskej kolonizácie. Prvá písomná zmienka o nej je z roku 1409. Kedysi patrila lendackému panstvu. Dnes je hojne navštevovaná turistami, ktorí obdivujú predovšetkým ľudovú architektúru, svojrázny odev i spôsob života. Mnohí turisti s obľubou využívajú možnosť ubytovať sa v dreveniciach. Okolie Ždiaru poskytuje nepreberné možnosti turistiky a v zime je tu doslova raj rekreačných lyžiarov v strediskách Pod Príslopom i v Bachledovej doline
212. Prístrešok nad studňou v Ždiari
213. Zima prišla priskoro . . .
214. Javorina je poslednou obcou pri ceste do Lysej Poľany, kde je hraničný priechod do Poľska
215. Pohľad do zákutí ždiarskeho gazdovského dvora
216. Zimné zátišie v Lendaku

218

219

◀

217. Svahy lyžiarskeho strediska s trojsedačkovou lanovkou Tatrapoma v Bachledovej doline s panorámou Belianskych Tatier

218. Jeden z najčastejšie fotografovaných ždiarskych námetov v predjarnom šate. Zrubový dom s hospodárskymi stavbami vytvára typické uzavreté átriové dvory. Modré špárovanie medzi brvnami kontrastuje s patinou dreva a šindľa

219. Interiér Ždiarskej izby

220. Okno drevenice v Ždiari s typickým ždiarskym ornamentom

220

221.–224. V Tatranskej kotline nezabudneme navštíviť Beliansku jaskyňu. Je to jediná kvapľová jaskyňa v oblasti Tatranského národného parku. Jej prvými objaviteľmi boli hľadači zlatých pokladov. Najstarší nápis na stene Speváckej siene je z roku 1718. Celková dĺžka známych chodieb je 1752 m, vchod do jaskyne sa nachádza vo výške 885 m. Sprístupnená bola 6. augusta 1882 a ako jednu z prvých na svete ju osvetlili elektrickým osvetlením 29. novembra 1896

225

226

227

230

◄
(228–231.) Obráťme na chvíľu pozornosť na slovenské rieky, prameniace v tatranskej oblasti
228. Biely Váh nemá prameň – vzniká sútokom Zlomiskového a Furkotského potoka pod Cestou slobody. Na svojom hornom toku sa prediera hustými tatranskými lesmi
229. Rieka Poprad vzniká takisto sútokom Hincovho potoka a potoka Krupa, vytekajúceho z Popradského plesa. Vidíme jeho prvé metre v Mengusovskej doline

230. Krištáľovo čistá voda vytekajúca z dreveného žľabu je prameňom Hornádu. Nájdeme ho na pohorí Nízkych Tatier, neďaleko cesty vedúcej z Vikartoviec do Liptovskej Tepličky
231. Čierny Váh, prameniaci pod legendárnou Kráľovou hoľou, vinie sa ako strieborná stuha rozkvitnutými lúkami, aby svojimi vodami napojil o niekoľko kilometrov ďalej vodné dielo rovnakého názvu vyrábajúce ekologicky čistú elektrickú energiu. Od Kráľovej Lehoty už spolu s Bielym váhom tvoria najväčšiu slovenskú rieku – Váh

233

(232.–241.) Máloktorá oblasť v našej vlasti sa môže pochváliť takou rôznorodou spleťou dopravných zariadení, ako je to vo Vysokých Tatrách a ich okolí: do Popradu, ako brány pre vstup do našich najmenších veľhôr na svete, možno pricestovať letecky, železnicou, autobusmi alebo osobnými automobilmi. V oblasti Tatier prevláda elektrická železnica na tratiach z Popradu do Starého Smokovca, odtiaľ na Štrbské Pleso a do Tatranskej Lomnice. Vo vyššie položených oblastiach Tatier sa stretávame so špeciálnymi, či už pozemnými, alebo visutými dopravnými zariadeniami. Snahou kompetentných je vylúčiť z celej oblasti Vysokých Tatier dopravu vozidiel so spaľovacími motormi, ktoré sú hlavným zdrojom znečistenia ovzdušia. Či sa im to podarí, ukáže budúcnosť

232. Nadoblačné ráno na Skalnatom Plese

233. Cestou z Veľkej do Tatranskej Lomnice

234. Pozemná lanovka zo Starého Smokovca na Hrebienok

235. Ozubnicová železnica zo Štrby na Štrbské Pleso

236. Pri vrcholovej stanici lanovky na Solisku

237. Elektrická železnica z Popradu do Starého Smokovca

238. Sedačková lanovka zo Skalnatého Plesa do Lomnického sedla

239. Kabínková lanovka na Lomnický štít, v pozadí observatórium Slovenskej akadémie vied na Skalnatom Plese

240. Zájazdový autobus pred hotelom Bellevue

241. Stará i nová kabínková lanovka z Tatranskej Lomnice na Skalnaté Pleso

242

243

242. Štrbské Pleso je jedným z najviac navštevovaných centier turistického ruchu vo Vysokých Tatrách. Nachádza sa v nadmorskej výške 1 350 m uprostred neopakovateľnej scenérie tatranských štítov. V letných mesiacoch je východiskom turistických vychádzok do okolitých dolín i horolezeckých výstupov na končiare. V zimných mesiacoch je tu možnosť pestovať rekreačné lyžiarske športy i usporiadať vrcholné športové podujatia v klasických lyžiarskych disciplínach v Areáli snov. Prinavracať zdravie pacientom, postihnutých chorobami dýchacích ciest, pomáha komplex liečebných zariadení Helios, Hviezdoslav, Končistá. Ubytovaniu hostí slúži viacero hotelov, z ktorých hodno spomenúť hotely Patria, Panoráma a FIS

243. Horec jarný *(Gentiana verna)*

244. Zvonček maličký *(Campanula pusilla)*

245. Kvitnúca kosodrevina *(Pinus mugo)*

▶

246. Slnečný restaurant v hoteli Patria vyniká vysokou umeleckou úrovňou interiéru i gurmánskymi špecialitami

247. Pochúťky maďarskej kuchyne prišli do hotela Patria predstaviť kuchári z Budapešti

248. Jedlá slovenskej kuchyne v reštaurácii Slovenka v hoteli Patria

249. Príjemný večer v exkluzívnom Vatra-bare hotela Patria

250. Osviežinie poskytne bazén v hoteli Patria

251. Obchodné centrum v Starom Smokovci

252. Grand hotel v Starom Smokovci pod rozložitým Slavkovským štítom je jedným z najstarších tatranských hotelov. Postavený bol v roku 1904 podľa projektov architekta C. Hoepfnera

253. Posedenie na terase hotela Park v Novom Smokovci

254. Hotel Park v Novom Smokovci je pozoruhodný kruhovým tvarom hotelovej časti

246

247

249

251

252

254

255

256

255. Grand hotel Praha v Tatranskej Lomnici
256. Posedenie v Zbojníckej kolibe pri Grand hoteli Praha. Ponúkajú tu dobré víno i zbojnícke špeciality

257. V areáli Eurocampu FICC v Tatranskej Lomnici majú možnosť stráviť dovolenku vyznávači karavaningu
258. Oázou ticha uprostred lesov je hotel Kriváň v osade Podbanské

257

258

259

260

261

263

264

266

268

265.–269.) Blahodarný vplyv horského prostredia na ľudské zdravie bol podnetom na vybu-
dovanie celého radu liečební vo Vysokých Tatrách. Ich poslaním je prinavracať zdravie najmä
pacientom postihnutých ochoreniami dýchacích ciest

265. Priečelie Liečebného domu respiračných chorôb v Novom Smokovci. Bol postavený
v rokoch 1915–1925

266. Liečebný ústav vo Vyšných Hágoch

267. Liečebný dom Hviezdoslav na Štrbskom Plese

268. Liečebný dom Helios na Štrbskom Plese

269. Liečebný dom Európa v Novom Smokovci bol postavený v roku 1894 pôvodne ako hotel

269

270

271

(270.–274.) Areál snov – tak nazývajú komplex skokanských mostíkov a bežeckých tratí na Štrbskom Plese. Do histórie vošiel v roku 1970, keď tu boli usporiadané majstrovstvá sveta v klasických lyžiarskych disciplínach. Odvtedy tu už usporiadali celý rad vrcholných športových podujatí a chýr o dobrých organizátoroch i nevšednej pohostinnosti sa šíri svetom

270. Medzi nebom a zemou

271. Zápolenie na bežeckých tratiach o Tatranský pohár v roku 1985

272. Nevšedný nočný pohľad na Areál snov

273. Folklórny program v Areáli snov

274. Otvárací ceremoniál XIII. zimnej univerziády v roku 1987 vyvrcholil zapálením olympijského ohňa

273

274

275. Priaznivci zjazdového lyžovania majú v Lomnickom sedle areál spĺňajúci aj tie najnáročnejšie kritériá. Pravidelne sa tu konajú medzinárodné preteky v obrovskom slalome o Veľkú cenu Slovenska

276. Aj lyžiarsky areál na Hrebienku býva svedkom vrcholných svetových pretekov v špeciálnom slalome

277.–279. Koniec zimnej lyžiarskej sezóny v Tatrách si pripomínajú pracovníci cestovného ruchu, hotelových zariadení, ako aj ich hostia usporiadaním maškarného karnevalu. Po zjazde masiek z Hrebienka vypukne veselica pred hotelom Grand v Starom Smokovci, kde sa končí Grand prix vo večerných hodinách korunovaním najlepšej masky

276

278

279

280

280. Na vrchole Lomnického štítu (2 632 m) dokončili v roku 1940 stanicu visutej lanovky. Na ňu nadväzujú objekty meteorologického observatória. Vedeckí pracovníci sa tu venujú výskumu slnečnej koróny i kozmického žiarenia. Táto scenéria bola fotografovaná pri teplote –27 °C

281. Mariána Rajčana, jedného zo služobne najstarších tatranských meteorológov, vidíme pri práci na najvyššie položenom pracovisku v našej vlasti

282. Pohľad z Lomnického štítu na Kežmarský štít (2 558 m) a Belianske Tatry

283. Túžba vystúpiť čo najvyššie láka ľudí už od pradávna. Realizovať tieto snahy sú však schopní iba tí najodvážnejší – horolezci. Výstup na Ihlu v Ostrve patrí k tým menej náročným. Je z nej impozantný výhľad na Mengusovskú dolinu

284. Zlaňovanie extrémne ťažkej steny

285. Hory sú nielen krásne, ale i zradné. Stačí neopatrnosť či podcenenie poveternostných podmienok a stávajú sa tragédie. Vtedy prichádzajú na rad pracovníci horskej služby, ktorí vyrážajú k záchranným akciám, aby sa pokúsili zachrániť to najdrahšie – ľudský život. Žiaľ, niekedy je ich snaha márna . . . Prácu im aspoň trocha uľahčuje moderná technika, v poslednom čase aj vrtuľník

286. Chvíľa odpočinku a usporiadanie horolezeckého výstroja

▶

287.–291. Pri návšteve Popradského plesa nezabudnite vzdať hold tým, ktorí hory nadovšetko milovali, ale stali sa ich osudom. Pod svahmi Ostrvy tu zriadili Symbolický cintorín na návrh akademického maliara Otakara Štáfla, veľkého milovníka Tatier. Jeho ústredným objektom je pietna kaplnka, okolo ktorej sú tabule s menami obetí nielen Tatier, ale aj iných hôr. Medzi nimi aj priateľa „Juzeka" Psotku, ktorý zahynul pri zostupe z vrcholu Mount-Everestu. Drevené kríže sú dielom ľudového rezbára Jozefa Fekiača-Šumného

293

294

295

◄

292. Letný večer v Mengusovskej doline, pri Popradskom plese

293. Pokochať a krásou hrebeňa Bášt ožiarených vychádzajúcim slnkom, navyše zrkadlia-cich sa v Žabích plesách, môže iba ten, kto vyrazí na túru ešte za tmy

294. Cestou na Rysy míňame najvyššie položenú chatu v Tatrách – chatu v sedle Váha (2 250 m)

295. Aj v drsných vysokohorských podmienkach je schopný rozkvitnúť horec ľadovcový *(Gentiana frigida)*

296. Pohľad z vrcholu Vysokej na Český štít, Rysy a Mengusovské štíty

297. Z úbočia Rysov nás upúta pohľad do Českej doliny, na Ganek i panorámu Tatier smerom k východu

298. Pri výstupe na Kôprovský štít sa pokocháme pohľadom na najväčšie pleso v slovenskej časti Vysokých Tatier – Hincovo pleso, s rozlohou 20,08 ha

►

299. Z Kôprovského štítu sa otvára pohľad do Temnosmrečinskej doliny i na Západné Tatry   **300.** Nad Kôprovskou dolinou sa hrdo vypína povesťami opradený pre Slovákov symbolický Kriváň (2 494 m)

◀

301. Svišť horský tatranský *(Marmota marmota latirostris)*
302. Orol skalný *(Aquila chrysaetos)*
303. Kamzík tatranský *(Rupicapra rupicapra tatrica)*

304. Prvý mráz vyčaril zvláštnu atmosféru pri plese nad Skokom

305. Návrat z túry

306

307

306. Hoci v dolinách ešte kraľuje jeseň, na hrebeňoch Tatier už preberá žezlo pani zima. Dívame sa na jeden z najkrajších končiarov – masív Vysokej (2 560 m), Český štít a Kôpky

307.–309. Jesenné a zimné zátišia v tatranskej prírode ▶

310. Turistami často navštevovaný je vodopád Skok v Mlynickej doline

311. Vodopád v kotline Žabích plies

312

312. Pohľad od Velického plesa pri horskom hoteli Sliezsky dom do Velickej doliny s Granátovými vežami

313. Hrejivé lúče slnka sa predierajú cez húšťavu mrakov . . .

314. Voda a kvet (šafrán Heuffelov spišský – *Crocus scepuciensis*)

313

314

315. Téryho chata od prostredného Spišského plesa. V pozadí dominuje častý cieľ horole-

316. Najvyššie položeným vo Vysokých Tatrách je Modré pleso (2 157 m) v doline Pod

318

320

317. Pri výstupe do Červenej doliny sa nám naskytá pohľad na dolinu Zeleného plesa s Pyšným štítom (2 623 m)
318. Brnčalova chata pri Zelenom plese je častým útulkom horolezcov. Nad ňou dominuje Jastrabia veža

319. Jeden z najvzácnejších kvetov Tatier – plesnivec alpínsky (*Leontopodium alpinum Cass*)
320. Horec bodkovaný (*Gentiana punctata*)

321. Jedna z najvyhľadávanejších severných tatranských dolín – Bielovodská dolina
– v predjarnom rúchu

322. Žltohlav európsky *(Trollius europaeus)*
323. Prvosienka najmenšia *(Primula minima)*
324. Soldanelka karpatská *(Soldanella carpatica)*
325. Skalnica horská *(Sempervivum montanum)*

326. Belianske Tatry v posledných lúčoch zapadajúceho slnka ▶

324

325

SUMMARY

LANDSCAPE UNDER THE TATRA

Our wandering in the landscape under the Tatra mountains, as it is shown in three hundred thirty three photographs of this representative publication, takes place in the territory of North-Eastern Slovakia. More exactly it is the route between Upper Liptov and Northern Spiš. Said very simply – we shall enjoy the unique and magic beauty of the High Tatra and the region immediately underneath together.

LANDSCAPE UNDER THE TATRA

Landscape with eternal symbol of Slovakia, a rough, but at the same time lovely region, connected with many tales and legends, territory filled with magic beauty and activity that had grown here through millenniums to innumerable riches. It is not possible to tell and show everything, it is beyond capacity to catch all the changes of life that took place here since primeval ages. These symbolical three hundred thirty three pictures represent results of work of previous generations as far as they remained preserved until today. The contemporary time realizes their heritage.

LANDSCAPE UNDER THE TATRA

No other region in Slovakia was given so many riches, beauties and variety of natural formations as they are configurated in the Poprad and Hornád valley or in Spišská Magura. Wide arch of this coloured carpet hides many beauties of forms and colours of fields and meadows, rivers and brooks. In the sky a lot of stars shine, they shine into the most remote corners of Upper Liptov and Zamagurie, the home of diligent and open-hearted people, creators of folklore art.

LANDSCAPE UNDER THE TATRA

Thanks to archelogists and historians we can proudly say that – although the life and work of people under the High Tatra was apparently monotonous – they left works of material and spiritual culture of priceless value. The first traces of colonization of this territory were left by man of Neanderthaler type about 117 thousand years ago, who lived near the warm springs of travertines in Gánovce. As winters changed for summers, in the same way generations of Tatra people changed their way of life. The original Slovak inhabitants were enriched by German colonizers who brought to our agricultural ancestors handicraftsmanship. Great development of this region can be seen since 13th century. Wooden log-cabins and cottages were replaced by stone houses. Many towns and market-towns were built, with churches, monasteries, fortifications. Some of them became significant centres of manufacture and trade. Architectural art of former masters deserves honour and admiration of ours even at present.

LANDSCAPE UNDER THE TATRA

In the millennium of Slovak history the region under the Tatra played a significant part. Through its situation it was a firm hinterland and protection for other Slovak regions that were open to many conquerors since time immemorial. Very often in its history this territory fought for its mere existence. Though the massif of the High Tatra formed a natural fortification in the North, the region was not saved by horrors of wars. Tartarians, Hussites, Swedes, Napoleonic armies and many others rushed along this territory. The last horrors of war ended in 1945. Although the second world war ended in this memorial year, and together with it the clatter of arms, nevertheless a lot of nearly unbelievable events happened. The long 42 years of Communist rule since 1948 until the memorable 17th November 1989 will be appropriately valued by the forth-coming generations.

LANDSCAPE UNDER THE TATRA

Let us leave the past sleep, and let us return to the present day under the Tatra, the rocky mounts of which impressed the nature of its people since ever. The rich folklore culture preserved a lot of tales, legends, songs, melodies, folklore costumes and customs. We meet them until today at various occasions of ecclesiastical and secular anniversary festivals. They are being preserved by folklore ensembles of musicians, dancers and singers. The folklore literary art is very precious, that's why we note it in books to keep it alive. In the folk art under the Tatra we discover elements of several ethnic regions – this is not the case of any other region all over Slovakia. From the West we are welcomed by songs and customs of Upper Liptov and Horehronie, which are changed on the route to the East by melodies of the Hornád valley. A little bit less has been preserved in the Poprad valley, in the North-East the proud Gorals under the Spišská Magura take leave from us.

LANDSCAPE UNDER THE TATRA

Specific, characteristic region. Attractive through its natural beauties, cultural monuments, and for instance through its people, the people of the last decade of the 20th century and of the second millennium, who formed the region into its present shape. The photographer's eye is extremely sensitive, as you can see in this book. Maybe it shows the reality nicer than it really is. The past decades could not berieve the beuty of the country but they treated it badly, in a step-motherly way. The nature was dying, the precious historical objects were wasted away and delapidated. Probably only our descendants will be able to judge all the sins of our predecessors. The man – admirer changed into the man – tourist. To be just, of course many tourists belong to admirers of our region. A lot of facilities of tourism in the High Tatra and surroundings welcomes the guest with open arms and hospitality. Too quick speed of life, motorisation, development of industries and services did not allow this region time for regeneration. It was somehow forgotten that not everything old is old, that old things can show their new beauty. We have forgotten the world surrounding us. But we still have the opportunity to save at least something. We can still admire the rare flowers and animals of the High Tatra, we can still drink clear water in a Tatra spring watching the endless heights of the Tatra peaks. And to walk from there down the valley guessing the names of towns and villages. The unique character of the past and present of this region is kept not only in archives and museums, but everywhere in our environment. Since the Stone Age this country attracted man, who formed here a world filled with harmony and magic that were not diminished by millenniums.

LANDSCAPE UNDER THE TATRA

Well, dear reader, if you allow me to address you, turn over the leaves of this book and enjoy the beauty looking at you from these three hundred thirty three pictures in all colours. The landscape under the Tatra is hospitable and welcomes with pleasure everybody coming with good intentions.

TEXTS TO PHOTOGRAPHS

1. View of Kráľová hoľa from the peak of Lomnický štít over the Poprad valley covered with clouds
2. Total view of Poprad with the High Tatra in the background
3. The oldest history of the Poprad valley starts with Hrádok in Gánovce, known through its fund of a travertine cast of skull of a Neanderthal man of the last Ice Age
4. Not far from the community Veľký Slavkov there is a locality Burich, well known through its rich funds from the Neolithic period of the Stone Age, from the older Bronze Age, from the Hallstatt Age and from the older Roman period. The Slavic funds originate from 10th – 12th century
5. A pylon near Štrba reminds of extinction of a medieval community Šoldovo
6. Behind the tallest buildings of Poprad the peak Gerlachovský štít, the highest mount not only of the High Tatra, but of the Slovak Republic, can be seen
7. Historical core of the town Poprad
8. Renaissance bell-tower with gable attic and the tower of early Gothic Roman catholic church of St. Egidius from from 1220–1230 in Poprad
9. Ther Tatra region museum in Poprad from 1886
10. The most important funds of the archeological exposition of the Tatra region museum are the funds from Gánovce-Hôrka
11. Celtic coin from Burich
12. Celtic helmet
13. Travertine cast of skull of a Neanderthaler man with brains (reconstruction of his head)
14. Poprad awakes into a new day

(15.–22.) Face of contemporary Poprad is given by newer architecture

15. Building of the city court
16. Department store Prior
17. Building of the General Credit Bank, in the background hotels Satel and Gerlach
18. House of services
19. Hospital with policlinics
20. Shops and blocks of flats in pedestrian zone
21. Swimming hall
22. Winter stadium
23. Commercial and administrative centre
24. Hotel Poprad
25. Veľká – Poprad suburb
26. Gothic monstrance from Poprad-Veľká
27. Entry to Monuments Park in Spišská Sobota
28. Spišská Sobota. Once an independent municipality, since 1945 adjoined to Poprad. Since 1950 municipal historical reservation. View of medieval burgher houses
29. Bay above the portal of renaissance house No. 41
30. Memorial tablet of the baroque sculptor Jan Brokoff, creator of sculptures on the Prague Charles bridge, who was born in Spišská Sobota. The tablet is placed on house No. 27, built in 1740
31. Stucco decoration of facade of a burgher house in Spišská Sobota
32. Winter idyll in the town park. In foreground memorial to soldiers who lost their lives in the revolutionary year 1848 and in World War I
33. Baroque column to Holy Mary from 1772 in Spišská Sobota
34. Roman catholic originally Romanesque church of St. George, rebuilt in Gothic style in 1464 and in Baroque in 18th century. Renaissance bell tower from 1598 has Baroque attic from 1728. In the church interior we can admire jewels of Gothic art, unique not only in Spiš, but all over Europe. Especially beautiful and unique is the main altar with woodcuts by Master Pavol of Levoča from 1516
35. Look into the church nave of St. George's church in Spišská Sobota. In foreground group of plastics of Kalvaria from 1489
36. Plastics of St. George riding horse (177 × 180 cm) from the main altar
37. Detail of the Last Supper of the main altar
38. Unique is also a small portable Gothic altar with plastics of the crucified Jesus Christ from 1480–1490
39. Two-naves western part of St. George's church in Spišská Sobota with an early Baroque organ (from about 1700) from Gross' workshop in Spišská Sobota
40. Interior of the Roman catholic church of All Saints in Batizovce. Originally a Romanesque building from 13th ct., was adapted in Gothic style during 14th and 15th ct. Baroque altars of Virgin Mary, St. Dzim and St. Joseph originate from 1764–1767
41. A Romanesque portal – remnant of the original building of All Saints Church in Batizovce
42. Gothic wall paintig in the All Saints church in Batizovce from about 1350 shows coronation and death of Holy Mary
43. Roman catholic Church of the king Saint Stephen from 2nd half of 13th ct. and bell tower from end of 16th ct. in Matejovce
44. The most precious memorability in the church of king Stephen in Matejovce is the Gothic plastics from 1st half of 14th ct. (1327?) Crucified Jesus
45. Interior of a Roman catholic Romanesque church from 13th ct. in Mlynica, rebuilt in Gothic in 1425–1434. The most precious historical memorability is the late Gothic main altar of St. Margaret from beginning of 16th ct. from the workshop of Master Pavol of Levoča. Right is the side late Gothic altar of the bishop St. Nicolas
46. Legend of St. Ladislaus – an early Gothic Wall painting in the sacristy of the church of Catharine of Alexandria in Veľká Lomnica – shows fight of St. Ladislaus with Kumans
47. Romanesque-Gothic church of St. Catherine of Alexandria from about 1250 in Veľká Lomnica. In background panoramatic view of the eastern part of the High Tatra
48. Late Gothic altar of Virgin Mary from 1493 from the same church is a significant representative of Gothic art
49. Parting into two naves is a typical feature of Gothic churches in the Spiš region. We can see it in the church of St. Catherine of Alexandria in Veľká Lomnica, too.
50. Autumn in Veľký Slavkov. The community is remembered already in 1251. Later it was colonized by Germans, as many other municipalities and communities of the Spiš region, and it was incorporated into Corporation of Spiš (Zips) Saxons
51. View of a part of the Poprad valley with Kežmarok, in the Middle Ages one of the

most important and significant towns of the Spiš region. Because of its great number of historically significant monuments, the centre of town was declared to city memorial reservation. For the first time it is remembered in 1251 under the name Villa Saxonum Apud Ecclesiam Sancte Elisabeth. But this territory had been colonised already in Neolithic and Eneolithic Age, rich are funds from older and younger Bronze Age, as well as from Hallstatt Age. Settlements from Roman and Slavonic era had been proved here. Present name of the city originates from German name called after the most sold kind of goods in its markets – cheese-market (in German Käse-Markt). Historians are not unique in this matter, they discuss it permanently

52. Royal privilege from 1463, by which the free royal town Kežmarok is given the right to use city coats of arms
53. The townhall tower has a beutiful background of the High Tatra. The townhall was built in 1461 by Master Juraj from Spišská Sobota, and was rebuilt several times (1541–1553, 1799, 1922, 1967–1970)
54. Originally Gothic-renaissance burgher houses with typical saddle roofs in Hradné (Castle) Square in Kežmarok
55. Classicist building of the city "masquerade" (house of balls and sessions) from 1818
56. Architecture of burgher houses is completed by transition arches when entering side streets
57. View of area of the late Gothic church of St. Cross, built between 1444–1498, of the renaissance bell tower from 1586–1591 and parsonage
58. In 1991 the tradition of folk crafts was restored to live in Kežmarok
59. Gothic cast (moulded) baptising fond from 1472 with copper Baroque top belongs to the most precious memories of the church of St. Cross in Kežmarok
60. Look into monumental nave of the church of St. Cross with star Gothic vaulting and Baroque organ
61. Interior of wooden articulatory church in Kežmarok from 1717, built by Juraj Müttermann. National cultural monument
62. Evangelical church built in New-Byzantine style between 1879–1892 according to projects of a Vienese architect Theofil von Hausen
63. The Kežmarok castle was originally a late Gothic building from 14th–15th century. It was rebuilt in renaissance end of 16th ct. and then in 1624. The last reconstruction of the castle dates to the period after 1945. During its history it changed many owners. Here wast the seat of the garrison of Ján Jiskra (a Hussite commander), from its walls the region was ruled by Imrich Zápoľský, Stanislav Thurzo and Štefan Thököly. Since 1931 the Kežmarok museum is placed here
64. Exposition of shoamakers' guild
65. Exposition of historical weapons from 17th–19th ct.
66. Monumental illustrated plan of the region under the Tatra and a plastic map of the High Tatra in the Kežmarok museum
67. Furniture of the townhall in exposition of the Kežmarok museum
68. Interior of early Baroque castle chapel from 1658
69. Castle chapel – look from the courtyard
70. In the Kežmarok grammar school (lyceum), very well known all over the Austro-Hungarian monarchy, many Slovak national revivalists studied. In its library number of valuable books can be found
71. Detail of facade of the Kežmarok grammar school, which is together with its library a national cultural monument
72. Courtyard of the castle in Strážky
73. Renaissance castle in Strážky, built between 1570–1590, national cultural monument. After recent reconstruction it serves as one of the workplaces of the Slovak National Gallery in Bratislava
74. Gothic Roman catholic one nave church of. St. Anna in Strážky, known through its Gothic frescos and Gothic wing altars
75. Renaissance bell tower from 1624 in Strážky
76. Typical representative of the Spiš Renaissance is the bell tower from 1644 in Vrbov. Column of Virgin Mary originates from the years 1724–1730
77. Another from the historical Spiš towns is Spišská Belá. It originates from a Slovak community, the first written documents about its existence are from 1263
78. Baroque column of Mary Immaculata from 1729
79. Look into one exposition of the Petzval museum in Spišská Belá
80. Significaut buildings in Spišská Belá are the church of St. Anthony the Eremite and the native house of Joseph Maximilian Petzval, the physician and mathematician, pioneer of modern photographic optics, who worked in the Vienese University. In his native house there is today a museum of photographic optics and technics
81. Bust of Joseph Maximilian Petzval (6. 1. 1807–17. 9. 1891) in front of his house
82. Original photographic object-glass of high lighting capacity, constructed after Petzval's calculations, set into metal chamber produced by the optician Voigtländer
83. The largest industrial centre of the region under the Tatra is Svit. It is concentration of chemical, engineering and knitting industries. Its foundations were practically laid in 1934 by the firm Baťa, who constructed both the town and factories
84. Community center in Svit. It has been used for cultural and social activities ever since it was built by Bata, the industrialist
85. Hotel in Lopušná dolina (Lopušná Valley) 3 km from Svit in a lovely setting with ski lifts in both directions offers excellent opportunities for recreation
86. St Joseph's Roman-Catholic church built in record time in Svit
87. Interior of the Roman-Catholic church in Svit
88. An important institution, on wich a lot of industrial and agricultural branches, transport etc are dependent, is the meteorological station in Gánovce
89. In central meteorological laboratory synoptical maps for weather forecasting are evaluated
90. Launching of a balloon with meteorological sound in Gánovce
91. Under southern slopes of the High Tatra, in western part of the Poprad valley, there lies the community Mengušovce. First note about it from 1398. Its inhabitants were known as producers of wash-tubs, today the community is known through raising cattle
92. In the tough conditions under the Tatra potatoes grow very well. Look on fields of the Research potatoe station in Veľká Lomnica
93. Even the potato blossom has its poetry . . .
94. Corn riping under the Tatra giants
95. Autumn on the slopes of the Spišská Magura
96.–101. Sheep raising is extended in the whole region under the Tatra. Whilst walking in valleys, you are accompanied by the bell-sound of grazing sheep. It seems to be an idyll, but in fact sheep-breeding is hard work for shepherds. Here we are showing you a day in the chalet in Liptovská Teplička
102.–106. It took centuries, since the oldest history of mankind, until man and animal got nearer
107. Early spring in Liptovská Teplička, a picturesque community under Kráľova hoľa. It was founded by "goral" colonists from Upper Orava. Mentioned first in 1634
108. After parties given when pig is killed the whole of Liptovská Teplička has the characteristic smell coming from smoking chambers
109., 110. Nowhere else in Slovakia you can find cellars excavated into ground, like in Liptovská Teplička. They serve above all for winter storing of potatoes. At present they are protected memorial objects
111., 112. Bringing out "Morena" (goddess of death. An ancient custom, dating from pagan times, shown by a folklore group in Liptovská Teplička. Girls carry "Morena" – a figure made from straw and dressed in a folk costume – through the village, sing folk songs, say folk proverbs, and after all they undress her, burn her and throw into the brook. This means symbolic end of winter
113., 114. Easter is welcomed by festively dressed girls from Batizovce. Scraped painted Easter eggs from this village belong to the most beautiful ones in Slovakia
115. Amongst spring meads in blossom you can see some villages under the Tatra: Šuňava, Štrba and Tatranská Štrba. The last is the highest situated community in the Slovak Republic (1 112 m)
116. Pipe player from Štrba
117. Girls and women from Štrba in festive dresses
118. Štrba was mentioned first in 1280. It lies in the foot of the Tatra, on the boundary of the Poprad and Liptov valley, the region of springs of the rivers Poprad and Váh
119. Buildings of the junior school in Tatranská Štrba correspond well with the surrounding nature. It is the the highest situated school in Czecho-Slovakia
120. Memorial tablet to national artist Martin Benka on house No. 566 in Štrba. Its author is the sculptor Imrich Svitana. It was unveiled at the occasion of 100th anniversary of the artist's birth
121. New building of the town council in Štrba has been built in style of typical Tatra architecture
122. Štrba under snow blanket
123. During Christmas holidays the "Bethlehem people" go from house to house in Štrba, showing a shepherds' play in verse. Every good housewife praises them and rewards with food. At present this old habit is shown by boys from a folklore ensemble Štrbianček
124. Folklore costume of old women from Štrba
125.–128. In Shrowtide (carnival) time in Batizovce the whole village is on their feet. In the procession of masques that draws through streets, there are the strawman, fatman, smithes, accordeon players, eggs collectors and singers of the local folklore group. In each house they leave something – mostly blackened faces of girls. Smithes or blacksmithes are to blame, with their hands spread with cart-grease. Eggs collectors "visit" each hen-house and take all fresh laid eggs. For a nice song the whole procession is rewarded by a glass of spirits and piece of bacon, sausage or cake, and further on it goes . . .
129. With background of the picturesque High Tatra in the valley of Biely Váh a beutiful community of the region under the Tatra introduces itself – Važec. It was founded in 13th ct. Its inhabitants in the past were grazing cattle and sheep, they were tree-fellers and traders with wood and sawmillproducts, they produced shingles, and finally they were carters and rafters. A very sad event in the history of Važec was the great fire in 1931, as almost each house of the community burnt out . . . At present it is a newly built, nice and interesting community from the ethnic point of view. It was the seat of a famous artist, painter of the Tatra – Ján Hála (1890–1959). In the neighbourhood there is a stalactite and stalagmite cave – Važecká cave – that attracts thousands of visitors each year through its beauty. The symbolic hill Kriváň – first from left in the panoramatic view of the High Tatra – seems to be the highest mount. But it is an optical delusion
130. Ján Hála: Whitening of linen, 1944, oil, 100 × 120 cm, from the collections of the Tatra gallery in Poprad
131. Ján Hála: With the child, 1953, oil, 80 × 100,5 cm, from the collections of the Tatra gallery in Poprad
132.–138. In Východná there is since 1953 the top show of folklore groups from all Slovak regions. Many ensembles from Bohemia, Moravia and Silesia, as well as from abroad, come as guests. During the days of the performances the whole community is festively decorated, in the windows the hand-made products of the local handicraftsmen can be seen. This folklore festival starts with a procession through the village, each group tries to be louder than others – it is gay for both participants and onlookers. All of them go to the open-air theatre at the end of the village, decorated with folk woodcuts. For two days it is the place of folklore – their love . . . And it is good that the habits of our ancestors do not fade into oblivion . . .
139.–141. Near Vrbov, warm water (thermal water of 56–65 Centigrades) springs from the depth of almost 1 km, to the surface. Since 1981 6 swimming baisins were built here, both sanitary and recreational. In summer the area of the open-air swimming pool is crowded with visitors. This thermal water is very good for motion organism
142. Even in Poprad the joys of short Tatra summer can be enjoyed
143., 144. We introduce to you the two tallest trees from the region under the Tatra: the white fir – the queen of the Low Tatra – is 41 m tall and in breast height its circuit is 436 cm. You find it in Kubiček's valley near the gamekeeper's lodge on the way from Šuňava to Liptovská Teplička. Probably the oldest linden tree in Slovakia – about 600 years old – is to be found in Pustovec near Toporec; it is about 20 m tall and its circuit in breast height is 745 cm
145. The Hornád valley is an interesting part of the region. It is surrounded by Kozí chrbát (the Goat Spine) in the North and the Low Tatra in the South. From the top of Jedlinská there is a beutiful view of it
146. Old blacksmith's workshop in Kravany
147. Wooden barns in Vikartovce
148. Originally Gothic Roman catholic church in Spišské Bystré, later rebuilt in New-Gothic style
149. Spišské Bystré, before 1948 Kubachy, was mentioned for the first time in 1294
150. The Hornád valley from Hranovnica. In the background Kozí Chrbát, behind it the High Tatra
151. View of the community Vikartovce
152. On the way from Hranovnica to Poprad we pass Kvetnica. Amongst spruce forests

a sanatorium for treatment of tuberculosis and respiratory diseases was founded in the nineties of the 19th century. Central building after reconstruction

153. At the edge of the Low Tatra and the Slovak Ore Mountains there is the community Vernár, the history of which reaches back to 1295. Since 16th ct. it belonged to the nobility of Muráň

154. Lake in the area of the sanatorium in Kvetnica. It is an oasis of silence and clear air, supporting successful treatment of patients

155.–157. Each community under the Tatra welcomes in Spring beloved guests – the storks. With pleasure they make their nests on chimneys, ignoring artificial nests prepared for them by protectors of nature. It is the same in Mlynica. In autumn, before flying to Africa, they concentrate in the fields, and then common departure follows.

158. Very soon the first frosts arrive, on trees hoarfrost appears, and the fields under the Tatra are bare

159. More and more skiers come to skiing slopes above Liptovská Teplička

160. The same situation in Vernár, in the skiing centre. It is favourable for the overlasted winter centres in the High Tatra

161., 162. Winter poetry under Kráľova hoľa

163. Magic winter evening in the second courtyard of Červený Kláštor (Red Monastery), a significant national cultural monument, situated in the Pieniny mountains, on the banks of the river Dunajec

164. Refectory with a ribbed net vaulting from 16th ct.

165. Archeological exposition in a prior house describes the oldest history of Červený Kláštor (Red Monastery)

166. Portrait of a Kamaldul monk, painting on a bench of the Karthusian church in Červený Kláštor

167. Exhibition of sacral art

168. Pharmaceutical exposition in a monk's house shows medieval pharmacy emphasizing especially favourable effects of curative herbs on human organism. The monk Cyprian, a botanist, pharmacist and curer, author of herbarium of curative herbs, lived and worked here

169. Beautiful natural surroundings and interesting history attract permanently thousands of visitors to Červený Kláštor

170.,171. Employees of the Museum of the region under the Tatra in Poprad arrange every year in the courtyard of Červený Kláštor interesting exhibitions. In 1988 there was an exhibition of bogeys, in 1989 of beehives

172. View of Červený Kláštor (Red Monastery) from South

173. Prior house and monastery well in the third courtyard

174. Monk's house of the monk Cyprian

175. Červený Kláštor has got a fairy-tale background: Tri koruny (Three Crowns), situated in Poland, on the opposite bank of the Dunajec

176.–183. The folklore festivals of Zamagurie are the greatest festival of the whole region. In the open air theatre under Tri Koruny (Three Crowns) "goral" songs, folk habits and humorous stories can be heard. Soloists, children- and adults' ensembles introduce themselves with real jewels of folk-art. This treasury of folk-art remained hidden in the poor wooden houses of this region, called Northern Spiš

184. The pearl of Zamagurie – breakthrough of the river Dunajec – offers an unusual experience to tourists: sail on rafts from Červený Kláštor to Lesnica in the length of 7 km. At the same time this sailing is the most comfortable way of watching the beautiful scenery of the Pieniny National Park

185. Rafters in the rapids of Dunajec under Sedem Mníchov (Seven Monks)

186. The most valuable herb of this National park is the endemite Chrysanthema Zawadskii. Besides the Pieniny and the Ural it does not grow anywhere else on the Earth

187. When Alyssum saxadile blossoms in spring, all the rocks in the break of the Dunajec are yellow

188. International Pieniny slalom attracts every year to the rapids of the Dunajec the best sportsmen from all over Europe. Its founder was in 1954 Dušan Benický, today a legend of the Zamagurie region

189. Centre of Zamagurie is the town Spišská Stará Ves. The oldest reference to it is from 1326. At present it is an engineering and textile industry centre. It is also the starting point for the Pieniny National Park

190. Facade of the Roman catholic originally Gothic church of the Assumption of Virgin Mary from the half of 14th ct. in Spišská Stará Ves. It was changed to Baroqus in 1772

191. Stone relief on the Southern wall of church in Spišská Stará Ves

192. Spišské Hanušovce

193.,194. The community Zálesie was well known in 17th ct. as farm of the Nedec nobility. It is well hidden in the forests of Zamagurie, and life here is not easy until today

195.,196. Beauties of autumn nature

197. Osturňa is a reservation of folk architekture. We start our walk at the upper end

198.,199. Preparing wood for winter in Osturňa belongs to the most important activities

200. In the farmer's courtyard the work begins that secures the next harvest in the narrow mountainous fields

201. Girls from Osturňa in their festive folk dresses with typical red-white decorations on sleeves in front of house No. 112

202.–207. Window – eye into the world. Althougth the world of Osturňa is small, for is inhabitants it is the most beautiful one . . .

208. Autumn still life in Osturňa

209. The High and the Belianske Tatra from the Spišská Magura

210. Last touches of autumn under the Tatra

211. Ždiar is the largest reservation of folk architecture in the region under the Tatra. It is 7 km long, lying under the Belianske Tatra, very near to Spišská Magura. The community was founded in 15th ct. in time of Wallachian colonization. The first written reference to it is from 1409. In the past it belonged to the Lendak nobility. Today it is being visited by many tourists, who admire the folk architecture, typical costumes and way of life. Very many tourists enjoy the opportunity of living in wooden houses. The environment of Ždiar offers rich possibilities for tourism, and in winter it is a real paradise for skiers in the centres Pod Príslopom and in Bachledova dolina

212. Roof above a well in Ždiar

213. This time winter arrived too early . . .

214. Javorina is the last community on the way to Lysá Poľana – the frontier check point to Poland

215. Look into a corner of a Ždiar farmer's courtyard

216. Winter still life in Lendak

217. Slopes of the skiing centre with a three-chairs-lift Tatrapoma in Bachledova dolina with a panoramatic view of the Belianske Tatra

218. One of the most frequently photographed pictures of Ždiar in early Spring. A log-cabin house with farm buildings forms typical closed atrium-courtyards. Blue painting between logs contrasts with patina of wood and shingle

219. Interior of a Ždiar room

220. Window of a Ždiar wooden house with typical ornament

221.–224. Do not forget to visit Belianska jaskyňa (cave) in Tatranská kotlina. It is the only stalactite and stalagnite cave in the Tatra National Park. Its discoverers were seekers of golden treasures. The oldest inscription on the wall of Singers' hall is from 1718. Length of the known underground passages is 1 752 m, entry into the cave is in 885 m. It was opened to public on 6th August 1882, and as one from the first all over the world it was illuminated by electricity on 29th November 1896

225., 226. Rainy day under Tatranská kotlina (Tatry valley)

227. Meadows under mountains

(228.–231.) Let us pay attention to rivers springing in the Tatra region

228. Biely (White) Váh – has not got any spring, it arises from confluence of Zlomiskový and Furkotský potok (brook) under the Trace of Liberty. In its upper part it flows through dense Tatra forests

229. The river Poprad arises from confluence of Hincov and Krupa potok (brook), that flows from the Poprad lake. We can see its beginning in Mengusovská dolina (valley)

230. Crystal clear water flowing from a wooden drough is the spring of the Hornád. We can find it in the Low Tatra, near the way leading from Vikartovce to Liptovská Teplička

231. Čierny (Black) Váh, springing under the legendary Kráľova hoľa, flows like a silver stripe through meads in blossom. Several kilometers farther it fills with its waters a dam lake producing in a power station ecologically clean electric energy. From Kráľova Lehota the Black and the White Váh form together the largest Slovak river – the Váh

(232.–241.) Not many regions of our country have so many means of transport as the High Tatra and surroundings: it is possible to travel to Poprad, the gate of our smallest giant mountains all over the world, by air, railway, coaches and cars. In the direct Tatra region you can travel by electric way from Poprad to Starý Smokovec, and from here to Štrbské Pleso and Tatranská Lomnica. In the higher situated regions of the High Tatra we find ropeways, cableways, ski-tows. Its purpose is to exclude from the whole Tatra region combustion motors – the source of air-pollution. Let us hope ecologists succeed

232. Morning above skyes on Skalnaté Pleso (Rocky Lake)

233. On the way from Veľká to Tatranská Lomnica

234. Cable-railway from Starý Smokovec to Hrebienok

235. Cog-wheel railway from Štrba to Štrbské Pleso

236. At the top-station of ropeway on Solisko

237. Electric railway from Poprad to Starý Smokovec

238. Chair-lift from Skalnaté Pleso to Lomnické sedlo

239. Cage-ropeway to Lomnický štít, in background observatory of the Slovak Academy of Sciences on Skalnaté Pleso

240. A tourist coach in front of Hotel Bellevue

241. Old and new cage-ropeway from Tatranská Lomnica to Skalnaté Pleso

242. Štrbské Pleso (Štrba Lake) is one ot the most frequently visited tourist centres in the High Tatra. It lies 1 350 m high amidst the most beautiful scenery of the Tatra peaks. In summer it is the starting point of walks into the surrounding valleys and of mountaineering ascents to the peaks. In winter it is a place for recreation-skiers and for top sporting undertakings in Nordie events in the so called Area of Dreams – Areál snov. There are also sanatoriums for patients with respiratory diseases, like Helios, Hviezdoslav, Končistá. You find here as well hotels for accommodation of visitors, like Patria, Panorama and FIS

243. Gentiana verna

244. Campanula pusilla

245. Plough-tail in blossom

246. The sunny restaurant of hotel Patria has an artistic interior and is well known through its cuisine specialities

247. Delicacies of Hungarian cuisine being prepared in hotel Patria by cooks from Budapest

248. Slovak cuisine in the restaurant Slovenka in Patria

249. Pleasant night in the luxurious Vatra bar in Patria

251. Shopping centre in Starý Smokovec

252. Grand hotel in Starý Smokovec under Slavkovský štít is one of the oldest Tatra hotels – built in 1904 after projects of architect C. Hoepfner

253. Sitting on the terrace of hotel Park in Nový Smokovec

254. Hotel Park in Nový Smokovec has got a special circle shape of the hotel part

255. Grand hotel Praha in Tatranská Lomnica

256. Interior of the Zbojnícka koliba (Robbers' cottage) near Grand hotel Praha. You are served with good wines and robbers' specialities

257. Caravan drivers can spend holidays in Eurocamp FICC in Tatranská Lomnica

258. Oasis of silence amongst woods is hotel Kriváň in Podbanské

259. Summer holidays in a Station of young tourists in Tatranské Mlynčeky

260., 261. Modern recreation centre of the Poprad Waggon factory in Stará Lesná. Today property of the Slovak Savings Bank under the name Horizont

262. Modern recreation centre Metalurg in Tatranské Matliare was built by the Iron-work Východoslovenské železiarne

263. Recreation centre of Ostrava miners – Permon – in Podbanské

264. Recreation centre Morava in Tatranská Lomnica after projects of architect B. Fuchs is from 1932. Originally it was property of the Land Insurance Company from Brno

(265.–269.) Healthful influence of mountain enviroment on human health was stimulation to build medical institutions and sanatoriums in the High Tatra. Their task is to help and return health namely to patients suffering from respiratory diseases

265. Facade of sanatorium of respiratory diseases in Nový Smokovec; it was built between 1915–1925

266. Medical institution in Vyšné Hágy

267. Sanatorium Hviezdoslav in Štrbské Pleso

268. Sanatorium Helios in Štrbské Pleso

269. Sanatorium Európa (Europe) in Nový Smokovec, built in 1894, was originally a hotel

(270.–274.) Areál snov (Area of Dreams) – is the name of a complex of ski-jumps and runners' tracks in Štrbské Pleso. It entered sporting history in 1970 as world-championships in Nordic events were held here for the first time. Since then many sporting events took place here, and had very good reputation

270. Between Heaven and Earth

271. Racing on runners' tracks of Tatranský pohár (Tatra Cup) in 1985

272. Unusual night view of Areál snov

273. Folklore programme in Areál snov
274. Opening ceremony of XIIIth Winter Universiade in 1987 – lighting of Olympic fire
275. Fans of down-hill run have in Lomnické sedlo (saddle) area ideal opportunity for skiing. International championships in giant slalom for the Great Price of Slovakia are held here regularly
276. The skiing area Hrebienok is very often the place of world championships in special slalom
277.–279. End of winter season in the Tatra is being celebrated by employees of tourism, hotels, and by their guests by a fancy carnival. Masques start their downhill-run on Hrebienok and finish in front of Grand hotel in Starý Smokovec. In the hotel the Grand prix ends at night by crowning the best masque
280. On the peak of Lomnický štít (2 632 m) the top station of cage ropeway was finished in 1940. Beside it there are objects of meteorological observatory. Scientist workers study the sun crown as well as the cosmic radiation here. This scenery was photographed by temperature – 27 Centigrades
281. Marián Rajčan, one of the oldest Tatra meteorologists, working in the highest situated working place in our country
282. View from Lomnický štít to Kežmarský štít (2 558 m) and to Belianske Tatry
283. Since ever people had the desire to get as high as possible. But only the most courageous are able to realize these efforts – the mountaineers. Ascent of Ihla in Ostrva belongs to easier climbs
284. "Roping" of an extremely difficult wall
285. Mountains are not only beautiful but treacherous as well. Carelessness or underestimating of meteorological conditions very often cause tragedy. Then Mountain Rescue Service workers start their life saving actions. Sometimes, sorry to say, their effort is vain . . . Their effort is supported a bit by modern technical means, in the recent time helicopter, too
286. Moment of rest and preparing mountaineering equipment
287.–291. When visiting Popradské Pleso (Poprad Lake), do not forget to honour and remember those who loved mountains above anything – and the peaks became fatal for them. Under the slopes of Ostrva a Symbolic cemetary was built according to project of the painter Otakar Štáfl, a great lover of the Tatra. Around the central chapel there are tablets with names of victims mostly of the Tatra, but of other peaks as well. There is also the board to memory of "Juzek" Psotka who lost his life while ascendig Mount Everest. The wooden crosses were made by the folk-woodcutter, Jozef Fekiač-Šumný
292. Summer evening in Mengusovská dolina, at Popradské Pleso
293. Only those who start their tour before dawn, can enjoy the beuty of crest of the Bašty lit by rising sun and mirroring in Žabie plesá (Frogs' Lakes)
294. On the way to the Rysy we pass the highest situated cottage in the High Tatra – in the saddle of Váha (2 250 m)
295. Even in the rough mountain conditions Gentiana frigida is able to blossom
296. View from Vysoká to Český štít, the Rysy and Mengusovské štíty
297. From hill-side of the Rysy there is a beautiful view of Česká dolina, Ganek and panoramatic view of the Tatra Eastwards
298. When climbing to Kôprovský štít, we can see the largest lake in the Slovak part of the High Tatra – Hincovo pleso – about 20,08 ha large

299. From Kôprovský štít we have a view of Temnosmrečianska dolina and the Western Tatra
300. Above Kôprovská dolina there arises the proud peak of Kriváň, a symbolic mount of the Slovak nation (2 494 m), famous through many legends
301. The Tatra mountain marmot (Marmota marmota Catirostris)
302. The rock eagle (Aquila chrysactos)
303. The Tatra Mountain chamois (Rupicapra rupicapra Tatrica)
304. The first frost created magic atmosphere at the lake over Skok
305. Return from tour
306. While in valleys autumn still dominates, on peaks of the Tatra winter starts ruling already. We watch one of the most beautiful peaks – massif of Vysoká (2 560 m), Český štít and Kopky
307.–309. Autumn and winter still-lives in the Tatra
310. Waterfall Skok in Mlynická dolina is frequently visited
311. Water fall in the valley of Žabie plesá (Frogs' Lakes)
312. View from Velické pleso near the mount hotel Sliezsky dom to Velická dolina with Granátové veže (Garnet Towers)
313. Warm sun rays getting through dense clouds . . .
314. Water and flower (Crocus scepuciensis)
315. Téry chalet from the central Spišské pleso (Spiš Lake). In the background frequent aim of mountaineers – Prostredný hrot (2 440 m) and Žltá stena, one of the most difficult in the High Tatra
316. The highest situated lake in the High Tatra is Modré pleso (Blue Lake) (2 157 m) in the valley Pod Sedielkom
317. When walking up to Červená dolina (Red valley), we can see the valley of Zelené plesc (Green Lake) and Pyšný štít (Proud peak) (2 623 m)
318. Brnčalova chata at Zelené pleso is the hostel of mountaineers. Above it there is Jastrabia veža (Hawk Tower)
319. One of the most valuable flowers of the Tatra – Leontopodium alpinum Cass
320. Gentiana punctata
321. One of the mostly visited Northern Tatra valleys – Bielovodská dolina – in early spring
322. Troll us Europea
323. Primulae minima
324. Polipodium Carpathea
325. Sempervivum montanum
326. Belianske Tatry in sunset

Front cover:
On mountain meadows in the High Tatra. The dancers of Magura Folk Group in Goral costumes

Back cover:
The majestic Gerlachovský štít (2 655 m) – the highest peak of the Slovak Republic. View from Východná Vysoká: Gentiana clusii

---

ZUSAMMENFASSUNG

LANDSCHAFT AM FUßE DER TATRA

Unsere Wanderung durch die Landschaft am Fuße der Tatra führt uns durch das Gebiet im Nordosten der Slowakei – ganz so, wie es auf den 333 Fotografien dieses repräsentativen Bildbandes zu sehen ist. Wir können das Gebiet, das wir durchstreifen wollen, noch genauer beschreiben, wenn wir es als Grenzgebiet zwischen der oberen Liptau (Horný Liptov) und der Nordzips (Severný Spiš) definieren. Einfacher gesagt – gemeinsam wollen wir uns in die einzigartigen und unwiederholbaren Schönheiten der Hohen Tatra und in die der Landschaft, die sich unmittelbar zu ihren Füßen ausbreitet, vertiefen.

LANDSCHAFT AM FUßE DER TATRA

Es ist dies das Landschaftsgebiet mit dem ewigen Symbol der Slowakei – eine Landschaft, die rauh und anmutig zugleich ist, eine Landschaft – umwoben von vielen Sagen und Legenden, eine Landschaft voll betäubender Schönheit und geprägt vom Fleiß ihrer Bewohner, der sich über die Jahrtausende hinweg in vielen Zeugnissen manifestierte. Es ist einfach unmöglich, all das zu berichten und zu zeigen; man kann nicht alle Veränderungen, die sich hier seit der Urzeit niederschlugen und tief in das Leben einprägten, anführen und dokumentieren. Diese eher symbolhaften 333 Fotografien präsentieren vor allem das Werk vergangener Generationen – soweit es erhalten blieb, das uns Gegenwärtigen als Erbe übergeben wurde und zugleich eine Art von Vermächtnis darstellt.

LANDSCHAFT AM FUßE DER TATRA

Keiner anderen Landschaft der Slowakei wurde ein derartiger Reichtum und eine derartige Vielfalt an Naturschönheiten in die Wiege gelegt, wie man sie hier in der Vielgestalt der Landschaft des Poprader und des Hornáder Talkessels als auch in der Zipser Magura (Spišská Magura) vorzufinden vermag. Das breite Band dieses farbenfreudigen Teppichs ist durchwirkt von offenkundigen und versteckten Schönheiten der Formen und Farben der Leinfelder und Wiesen, es wird belebt durch eine Vielzahl von Flüßchen und Bächen. Den Sternenhimmel über dieser Landschaft ziert eine ganze Plejade von Sternen erster Größe. Sie leuchten bis in die abgelegensten Gebiete der Oberen Liptau (Horný Liptov) und der Hintermagura (Zamagurie), die ihrerseits Heimstatt arbeitsamer und aufrichtiger Menschen waren, Heimstatt von Schöpfern einer eigenwilligen und eigenständigen Volkskunst.

LANDSCHAFT AM FUßE DER TATRA

Dank der Archäologen und Historiker können wir heute mit einer gewissen Portion Stolz behaupten, daß uns die am Fuße der Tatra lebenden Menschen, wengleich ihr Leben und ihre Arbeit so scheinbar eintönig waren, ein materielles und geistiges Kulturerbe von unschätzbarem Wert hinterließen.

Erste Zeugnisse, daß dieses Gebiet besiedelt war, hinterließ ein Mensch vom Typ des Neandertalers vor bereits 117 000 Jahren. Er lebte in der Nähe der warmen Travertinquellen, die in der Umgebung von Gánovce zu finden sind. Und so wie die Jahreszeiten einander ablösen, so löste auch eine Generation die andere ab, veränderte sich ganz allmählich das Leben der am Fuße der Tatra lebenden Menschen. Zu den ursprünglichen slawischen Besiedlern dieses Gebietes kamen deutsche Kolonisten, die durch ihre Erfahrungen die Arbeit der hier ansässigen Bauern zu bereichern wußten und auch dem Handwerk neue Impulse verliehen. Einen bislang unbekannten Aufschwung nahm dieses Landschaftsgebiet im 13. Jahrhundert. Die ehemaligen Blockhäuser aus Holz und die Holzhütten wurden von Steinbauten abgelöst; es entstand eine ganze Reihe von Städten und Städtchen, deren Dominante Kirchen, Klöster und Festungen waren. Viele von ihnen wurden zu bedeutsamen Manufakturzentren und zu Zentren des Handels. Die Baukunst damaliger Baumeister ruft mit Fug und Recht noch heute Achtung und Bewunderung bei uns hervor.

LANDSCHAFT AM FUßE DER TATRA

In der tausendjährigen Geschichte der Slowakei sprach man in der am Fuße der Tatra sich ausbreitenden Landschaft oft das entscheidende Wort, und sie hatte sehr häufig eine sehr wichtige Rolle inne. Durch ihre Lage war sie für die übrigen Regionen der Slowakei häufig eine sichere Zufluchtsstelle und ein Schutzschild in Zeiten der Bedrängung durch fremde Eroberer. Oft kämpfte man in diesem Gebiet um die nackte Existenz. Denn obgleich das imposante Massiv der Tatra eine natürliche Befestigung im Norden darstellte, blieb das Gebiet selbst nicht von den Schrecken des Krieges verschont. Die Feldzüge der Tartaren, der Hussitenkrieg und die Schweden, die Armee des mächtigen Napoleon und viele weitere mehr prüften diese Region. Die letzten Schrecken des Krieges überlebte man im Jahr 1945. Erst nach diesem denkwürdigen Jahr verstummte das Geklirr der Waffen, doch es geschahen auch danach noch viele Dinge und Ereignisse, die für uns heute nur schwer begreifbar sind. Diese mehr als 40 Jahre in Anspruch nehmende Geschichte bis zum denkwürdigen 17. November 1989 wird wohl erst eine neue Generation richtig zu bewerten wissen.

LANDSCHAFT AM FUßE DER TATRA

Lassen wir jedoch die Vergangenheit Vergangenheit bleiben – wenden wir uns lieber wieder der Landschaft selbst zu, deren Dominante, die die Gestalt von Felsmasiven hat, auch auf die Bewohner der Gegend zurückwirkte. Im reichhaltigen geistigen Leben und in der Kultur dieses Landstriches blieb eine große Zahl von Sagen, Liedern und Melodien lebendig, die ihrerseits durch volkstümliche Trachten und Bräuche ergänzt werden. Man kann noch heute bei verschiedenen kirchlichen und weltlichen Anlässen auf sie stoßen. Sie gehören bis heute in das Repertoire volkstümlicher Musikanten und Sänger sowie zum Programm verschiedener Volkskunstgruppen, die sie in Liedern und Tänzen bewahren. Immer seltener stößt man in der Gegenwart jedoch auf Träger und Repräsentanten der Wortkunst, daher halten wir dieses Erbe in Büchern fest, um es so lange als möglich lebendig zu erhalten.

Im Volkskunstschaffen der Menschen dieser Region finden wir – wie sonst nirgends mehr in der Slowakei – Elemente verschiedener ethnischer Gruppen miteinander verknüpft. Im Westen begrüßen uns Lieder und Bräuche des Gebietes der Oberen Liptau (Horný Liptov) und des Gebietes aus dem Oberlauf des Hron (Horehronie), die – sofern man sich in östlicher Richtung weiterbewegt – von Liedern und vom Brauchtum der Bewohner des Hornád-Talkessels abgelöst werden. Im Talkessel des Flusses Poprad blieb davon weit weniger erhalten, im Nordosten verabschieden sich dann die stolzen Goralen unterhalb der Zipser Magura von uns.

LANDSCHAFT AM FUßE DER TATRA

Es ist schon eine eigenartige Landschaft. Sie zieht vor allem durch die Schönheit der Natur, durch die kulturellen Denkmäler und vor allem durch die Einwohner dieses Gebietes selbst die Menschen in ihren Bann. Durch die Menschen der letzten Dekade des 20. Jahrhunderts und des zweiten Jahrtausends. Denn gerade durch sie erhielt diese Landschaft ihr heutiges Gesicht. Das Auge eines Kunstfotografen ist ausgesprochen sensibel. Und ebenso sensibel wurde in dieser Publikation auch diese Landschaft verewigt. Vielleicht stellt sie sich Ihnen etwas Schöner dar, als sie in Wirklichkeit ist. Denn selbst wenn die letzten Jahrzehnte dieser Landschaft nichts von ihrer Schönheit nehmen konnten, so verhielten sie sich ihr gegenüber doch recht stiefmütterlich. Man plünderte und schändete sie. Auf fast unvorstellbare Art und Weise trieb man Raubbau an der Natur, verfielen wertvolle historische Objekte und höchstwahrscheinlich werden erst unsere Nachkommen alle diese schonungslosen Eingriffe unserer Vorfahren richtig zu werten wissen. Der Mensch wandelte sich vom stillen Betrachter und Bewunderer der Natur zu einem erbarmungslosen Touristen. Selbstredend – auch die Touristen gehören zu den Bewunderern unserer Landschaft. Die Vielzahl der für den Tourismus geschaffenen Einrichtungen in der Hohen Tatra und in deren unmittelbarer Umgebung nimmt jeden mit offenen Armen auf, bietet neben guter Bewirtung auch manch freundliches Wort. Das rasante Lebenstempo jedoch, die Motorisierung, der Ausbau von Industrie und Dienstleistungssphäre gewährten diesem Landstrich nicht eine einzige Erholungspause – irgendwie hat man vergessen, daß nicht alles Alte zum alten Eisen gehört, daß es erneut zu voller Schönheit erweckt werden kann. Ja, wir haben die Welt um uns herum einfach vergessen, vernachlässigt. Noch aber haben wir genügend Gelegenheit und Möglichkeiten dazu, das zu retten, was noch zu retten ist. Wir können so die seltene und wertvolle Flora und Fauna der Hohen Tatra bewundern, und nachdem uns ein Schluck frischen, klaren Quellwassers aus dem Schoße der Tatra erfrischt hat, können wir uns versonnen der Betrachtung der schier unerreichbaren Höhen der Tatragipfel hingeben. Ein Blick zurück ins Tal hinab, und schon reizen das Auge des Betrachters die Dörfer und Städte, deren Namen man zu erraten wünscht. All diese unwiederholbaren und einzigartigen Zeugnisse der Vergangenheit und Gegenwart dieser Landschaft sind nicht nur in Museen und Archiven bewahrt, sondern sie begleiten uns auf Schritt und Tritt. Denn schon in der Steinzeit zog diese Landschaft den Menschen an, verlockte ihn dazu, hier eine Welt voller Harmonie und Zauber erstehen zu lassen, der auch die Jahrzausende nichts von ihrer Schönheit zu nehmen vermögen.

LANDSCHAFT AM FUßE DER TATRA

Nun, lieber Leser, blättere in unserem Buch nach Herzenslust und erfreue Dich an der Schönheit, die sich in den 333 Abbildungen versteckt hält. Versteckt hält in all dem Farbenzauber, der aus ihnen lockt.
Die unterhalb der Tatra sich erstreckende Landschaft ist freigiebig und heißt jeden, der mit guten Absichten kommt, herzlich willkommen.

TEXTE ZU DEN FOTOGRAFIEN

1. Blick auf den „Kráľova hoľa" vom „Lomnický štít" (Lomnitzer Spitze) aus über den Poprader Talkessel hinweg, der von dichten Wolken verhüllt wird
2. Panoramablick auf Poprad – im Hintergrund die Hohe Tatra
3. Die älteste Geschichte des Poprader Talkessels wird von der Travertinhöhe Hrádok in Gánovce abgeleitet. Sie ist vor allem durch einen Schädelabdruck im Travertin eines Neandertalmenschen aus der letzten Eiszeitperiode bekannt
4. Unweit der Gemeinde Veľký Slavkov befindet sich Burich, das vor allem durch Ausgrabungsfunde aus dem Äneolithikum, aus der älteren Bronzezeit, der Hallstattkultur und der älteren Römerzeit bekannt ist. Fundstücke slawischer Herkunft entstammen dem 10. bis 12. Jahrhundert
5. Der Pylon unweit der Gemeinde Štrba erinnert an die untergegangene mittelalterliche Ansiedlung Šoldov
6. Über die Dominanten von Poprad erhebt sich der „Gerlachovský štít" (Gerlachspitze), der höchse Gipfel nicht nur der Hohen Tatra, sondern auch der Slowakei.
7. Historischer Stadtkern von Poprad
8. Renaissanceglockenturm mit Attikagiebel und der Turm der frühgotischen römisch-katholischen Kirche des Hl. Ägidius aus den Jahren 1220–1230 in Poprad
9. Das Gebäude des Tatramuseums in Poprad stammt aus dem Jahr 1886
10. In der archäologischen Exposition des Tatramuseums dominieren die aus Gánovce-Hôrka stammenden Fundstücke
11. Eine keltische Münze, die bei Ausgrabungsarbeiten in Burich gefunden wurde
12. Ein keltischer Helm
13. Travertinabguß eines Gehirns mit dem Kopf eines Neandertalmenschen (Rekonstruktion)
14. Poprad erwacht in einen neuen Tag hinein

(15.–22.) Das Anlitz von Poprad prägen vor allem neuere Zeugnisse der Architektur

15. Das Gebäude des Rates der Stadt
16. Das Warenhaus „Prior"
17. Das Gebäude der Allgemeinen Kreditbank, im Hintergrund die Hotels „Satel" und „Gerlach"
18. Das Haus der Dienstleistungen
19. Kreiskrankenhaus mit Poliklinik
20. Geschäfte und Wohnhäuser in der Fußgängerzone
21. Das Hallenbad
22. Das Winterstadion
23. Handels- und Verwaltungszentrum
24. Hotel Poprad
25. Poprad – Stadtteil Veľká
26. Gotische Monstranz aus Poprad-Veľká
27. Eintrittsteil der Denkmal-Stadtreservation Spišská Sobota
28. Spišská Sobota; ursprünglich eine selbständige Gemeinde, seit 1945 zu Poprad gehörig. Die Stadt wurde 1950 unter Denkmalsschutz gestellt. Blick auf die mittelalterlichen Patrizierhäuser
29. Erker über dem Portal des Renaissancehauses Nr. 41
30. Gedenktafel für den aus Spišská Sobota stammenden Barockbildhauer Jan Brokoff, der vor allem durch die Statuen auf der Prager Karlsbrücke berühmt wurde. Die Tafel befindet sich am Haus Nr. 27, das im Jahre 1740 errichtet wurde
31. Stuckarbeiten zieren die Frontseite des Patrizierhauses in Spišská Sobota
32. Winteridylle im Stadtpark. Im Vordergrund das Mahnmal für die Helden des Revolutionsjahres 1848 und die Gefallenen des 1. Weltkrieges
33. Barocke Mariannensäule in Spišská Sobota, aus dem Jahr 1772 stammend
34. Die ursprünglich romanische römisch-katholische Kirche des Hl. Georg (St. Juraj) aus der Mitte des 13. Jahrhunderts, die im Jahre 1464 im gotischen Stil umgebaut wurde, wurde im 18. Jahrhundert im Barockstil renoviert. Der Renaissanceglockenturm aus dem Jahre 1598 wird von einer Barockattika aus dem Jahre 1728 geschmückt. Im Interieur der Kirche kann man Kleinodien gotischer Kunst, die zu den schönsten Zeugnissen der Kunst dieser Zeit nicht nur in der Spiš (Zips), sondern auch in Europa zählen, bewundern. Einzigartig ist vor allem der Hauptaltar mit Holzschnitzerarbeiten von Meister Paul aus Levoča (Leutschau), die in das Jahr 1516 gerückt werden
35. Blick in das Kirchenschiff der St.-Georgs-Kirche in Spišská Sobota. Im Vordergrund dominiert eine Gruppenplastik „Kalvarienberg" aus dem Jahre 1489
36. Die Plastik „St. Georg zu Pferde" (177 × 180 cm) vom Hauptaltar
37. Detail des „Letzten Abendmahles" von Hauptaltar
38. Einzigartig ist auch der tragbare gotische Altar mit einer Plastik des Gekreuzigten aus den Jahren 1480–1490.
39. Der zweischiffige Westteil der St.-Georgs-Kirche von Spišská Sobota mit der frühbarocken Orgel (um das Jahr 1700) aus der Werkstatt des Orgelbauers Gross aus Spišská Sobota
40. Interieur der römisch-katholischen Allerheiligenkirche in Batizovce. Das ursprünglich romanische Bauwerk aus dem 13. Jahrhundert wurde im 14. und 15. Jahrhundert im gotischen Stil umgebaut. Die Barockaltäre der Jungfrau Maria, des Hl. Dzima und des Hl. Joseph entstammen dem Zeitraum von 1764–1767
41. Das romanische Portal – Überbleibsel der ursprünglichen Bausubstanz der Allerheiligenkirche in Batizovce
42. Gotische Wandmalerei in der Allerheiligenkirche in Batizovce; sie entstammt aus der Mitte des 14. Jahrhunderts und stellt die Krönung und den Tod der Jungfrau Maria dar
43. Die römisch-katholische Kirche des Hl. König Stephans aus der 2. Hälfte des 13. Jahrhunderts und der Glockenturm aus dem ausgehenden 16. Jahrhundert in Matejovce
44. Der wertvollste Kunstgegenstand in der Kirche König Stephans in Matejovce ist eine gotische Plastik aus der 1. Hälfte des 14. Jahrhunderts (1327), „Christus am Kreuz" darstellend
45. Innenausstattung der romanischen römisch-katholischen Kirche in Mlynica, die aus dem 13. Jahrhundert stammt und von 1425–1434 im gotischen Stil adaptiert wurde. Der spätgotische Hauptaltar der Hl. Margitta aus dem beginnenden 16. Jahrhundert, der aus der Werkstatt von Meister Paul aus Levoča (Leutschau) stammt, gehört zu den historisch wertvollsten. Rechts daneben befindet sich der spätgotische Seitenaltar des Bischofs St. Nikolaus
46. Die Ladislaus-Legende – diese frühgotische Wandmalerei in der Sakristei der Kirche der Katharina Alexandrijska in Veľká Lomnica stellt den Kampf des Hl. Ladislaus mit den Kumanen dar
47. Die romanisch-gotische Kirche der Hl. Katharina Alexandrijska aus der Mitte des 13. Jahrhunderts in Veľká Lomnica. Im Hintergrund das Panorama des östlichen Teils der Hohen Tatra
48. Der spätgotische Altar der Jungfrau Maria aus dem Jahre 1493 der gleichnamigen Kirche ist ebenfalls ein bedeutsames Zeugnis gotischer Kunst
49. Die zweischiffige Gliederung ist ein typisches Merkmal gotischer Kirchen in der Spiš (Zips) – dies wird auch vom Beispiel der Kirche der Hl. Katharina Alexandrijska in Veľká Lomnica bestätigt
50. Herbst in Veľký Slavkov. Die Gemeinde wurde bereits 1251 urkundlich erwähnt. Später wurde sie von deutschen Einwanderern besiedelt, ebenso wie eine ganze Reihe weiterer Städte und Dörfer in der Spiš (Zips), und sie trat dem Bund der Zipser Sachsen bei
51. Blick auf den Talkessel von Poprad, in dem auch Kežmarok (Käsmark) liegt, eine der wichtigsten Städte in der Spiš (Zips) im Mittelalter. Wegen der großen Zahl historisch bedeutsamer Denkmäler wurde das Stadtzentrum unter Denkmalsschutz gestellt. Erstmals wird die Ansiedlung im Jahr 1251 unter dem Namen „Villa circa ecclesiam beate Elisabeth" erwähnt. Dieses Gebiet war aber bereits im Neolithikum und im Äneolithikum besiedelt; eine Vielzahl von Funden aus der älteren und jüngeren Bronzezeit und der Zeit der Hallstattkultur beweist dies. Beweise gibt es auch dafür, daß sich in der römischen und slawischen Zeit hier bereits eine Ansiedlung befand. Der heutige Ortsnamen ist angeblich vom Namen einer deutschen Ortschaft abgeleitet, die nach dem Produkt, das auf dem Markt am meisten verkauft wurde, benannt worden war: Käse-Markt. Die Historiker kehren jedoch immer wieder zu diesem Thema zurück und zweifeln die Namensdeutung an
52. Die königliche Urkunde von 1463, in welcher der freien Königsstadt Kežmarok (Käsmark) das Recht zugesprochen wird, ein Stadtwappen zu gebrauchen
53. Vor dem Hintergrund der Hohen Tatra hebt sich der Rathausturm von Kežmarok (Käsmark) deutlich ab. Das von Georg aus Spišská Sobota im Jahre 1461 errichtete Rathaus wurde mehrfach umgebaut (1541–1553, 1799, 1922, 1967–1970)
54. Ursprünglich gotisch-renaissancistische Patrizierhäuser mit typischen Satteldächern am Burgplatz in Kežmarok (Käsmark)
55. Die Redoute – ein klassizistisches Bauwerk aus dem Jahre 1818
56. Die Architektur der Partizierhäuser wird ergänzt durch bogenförmige Durchfahrten, die in Nebenstraßen führen
57. Blick auf das Areal der spätgotischen Heilig-Kreuz-Kirche, die zwischen 1444 und 1498 errichtet wurde, auf den Renaissanceglockenturm aus den Jahren 1589–1591 und die Pfarre
58. Im Jahre 1991 wurde in Kežmarok die Tradition der Volkshandwerke wiederbelebt
59. Gegossenes gotisches Taufbecken aus dem Jahre 1472 mit kupfernem Barockdeckel – es gehört zu den wertvollsten Denkmälern der Heilig-Kreuz-Kirche in Kežmarok (Käsmark)
60. Blick in das monumental anmutende Kirchenschiff der Heilig-Kreuz-Kirche mit sternförmigem gotischen Gewölbe und Barockorgel
61. Innenausstattung der aus dem Jahre 1717 stammenden Holzkirche von Kežmarok (Käsmark), die vom Baumeister Georg Müttermann errichtet wurde. Sie gehört zu den nationalen Kulturdenkmälern
62. Die im neobyzantinischen Stil errichtete evangelische Kirche wurde nach Projekten des Wiener Architekten Theofil von Hansen zwischen 1879 und 1892 erbaut
63. Die Burg von Kežmarok (Käsmark) war ursprünglich im spätgotischen Stil gehalten und stammt aus dem 14.–15. Jahrhundert. Ende des 16. Jahrhunderts und im Jahre 1624 wurde sie im Renaissancestil umgebaut. Die letzte Rekonstruktion dieser Burg

fällt in den Zeitraum nach 1945. Im Verlaufe der Jahrhunderte wechselte sie mehrfach den Besitzer. Hier befand sich auch der Sitz des Jiskra-Heerhaufens; von ihren Mauern herab beherrschte Imrich Zápoľský das Land; auch Stanislav Thurzo und Stefan Thököly zählen zu den Besitzern der Burg. Seit 1931 befindet sich das Museum der Stadt Kežmarok (Käsmark) in der Burg

64. Die Exposition der Schusterzunft
65. Ausstellung historischer Waffen aus dem 17.–19. Jahrhundert
66. Monumentaler, illustrierter Plan der Landschaft unterhalb der Tatra und Reliefkarte der Hohen Tatra im Museum von Kežmarok (Käsmark)
67. Mobiliar aus dem Sitzungssaal des Rathauses in der Exposition des Museum von Kežmarok (Käsmark)
68. Interieur der frühbarocken Burgkapelle aus dem Jahre 1658
69. Die Burgkapelle – Blick vom Burghof aus
70. Am Lyzeum der Stadt Kežmarok (Käsmark), das im gesamten Gebiet des ehemaligen Österreich-Ungarns bekannt war, studierten hervorragende slowakische Persönlichkeiten. In der Bibliothek kann man eine Vielzahl wertvoller Bücher finden
71. Detail der Frontseite des Kežmaroker Lyzeums, das zusammen mit seiner Bibliothek zu den nationalen Kulturdenkmälern zählt
72. Vorhof des Kastells in Strážky
73. Renaissancekastell in Strážky, nationales Kulturdenkmal. Es wurde um das Jahr 1580 herum errichtet, nach seiner vor kurzem abgeschlossenen Rekonstruktion dient es als Außenstelle der Slowakischen Nationalgalerie Bratislava
74. Die einschiffige römisch-katholische St.-Annen-Kirche aus der Zeit der Gotik, die sich in Strážky befindet, ist berühmt durch die gotischen Fresken und die aus der Zeit der Gotik stammenden Flügelaltäre
75. Renaissanceglockenturm aus dem Jahre 1624 in Strážky
76. Ein typisches Renaissancebauwerk ist der Glockenturm von Vrbov, der um das Jahr 1644 herum errichtet wurde. Die Pestsäule stammt aus dem Jahr 1730
77. Zu den historischen Städten der Spiš (Zips) gehört auch Spišská Belá. Sie ging aus einer ursprünglich slowakischen Gemeinde hervor – urkundlich wurde Spišská Belá erstmals im Jahre 1236 erwähnt
78. Eine barocke Pestsäule Immakulat aus dem Jahr 1729
79. Blick auf eine der Expositionen des Petzval-Museums in Spišská Belá
80. Dominanten von Spišská Belá sind die Einsiedler-Kirche des Hl. Antonius und das Geburtshaus von Jozef Maximilian Petzval, eines Physikers und Mathematikers, des Vaters der modernen Photographie, der seinerzeit an der Wiener Universität wirkte. In seinem Geburtshaus befindet sich heute ein Museum zur Optik und Technik der Fotografie
81. Büste Jozef Maximilian Petzvals (6. 1. 1807 – 17. 9. 1891) vor dem Geburtshaus
82. Das Originals des Fotoobjektivs großer Helligkeit, das nach Petzvals Berechnungen konstruiert und hergestellt wurde
83. Das größte Industriegebiet der Landschaft, die am Fuße der Tatra liegt, ist auf jeden Fall in Svit angesiedelt. Hier konzentrieren sich Chemie-, Textilindustrie und Maschinenbau. Die Grundlagen hierfür wurden bereits 1934 gelegt. Damals begann die Firma Baťa, die Stadt auszubauen und errichtete einige Betriebe
84. Gesellschaftshaus in Svit wurde vom Fabrikaten Baťa gebaut. Von Anfang dient es den kulturgesellschaftlichen Zielen
85. Hotel Lopušná dolina liegt 3 km von der Industriestadt Svit in der zauberhaften Umwelt mit Skilift in beiden Richtungen und bietet ideale Bedingungen zur Erholung
86. Die römisch-katholische Kirche in Svit wird dem hl. Joseph geheiligt, die in der Rekordzeit gebaut wurde
87. Interieur der römisch-katholischen Kirche in Svit
88. Eine wichtige Institution, von der eine ganze Reihe von Industrie- und landwirtschaftlichen Bereichen sowie von Verkehrsbetrieben u. ä. abhängig sind, ist die meteorologische Station in Gánovce.
89. Im meteorologischen Zentrallabor werden synoptische Karten zur Wettervorhersage ausgewertet
90. Entsendung eines Steigballons mit einer meteorologischen Sonde an Bord in Gánovce.
91. Am Südhang der Hohen Tatra, im Westteil des Poprader Talkessels, befindet sich die Gemeinde Mengusovce. Sie wurde 1398 erstmals urkundlich erwähnt. Ihre Bewohner waren einstmals berühmte Schnitzer, deren Spezialität Holztröge aller Art waren. – heute ist Mengusovce eine Ortschaft mit hochentwickelter Viehzucht
92. Unter den rauhen klimatischen Bedingungen der Landschaft am Fuße der Tatra gedeihen vor allem die Kartoffeln recht gut. Blick auf die Felder des Forschungsinstitutes für Kartoffelanbau in Veľká Lomnica
93. Auch die Kartoffelblüte hat ihre Poesie
94. Am Fuße so mancher Gipfel der Hohen Tatra reift Getreide zur Ernte heran
95. Herbst in den Berglagen der Spišská Magura
96.–101. Die Schafzucht ist heute im ganzen Gebiet der am Fuße der Hohen Tatra liegenden Landschaft verbreitet. In jedem Tal begleitet Sie auf Ihren Spaziergängen das Glockengeläut weidender Schafherden. Was auf den ersten Blick so idyllisch anmutet, ist in Wirklichkeit ein hartes Brot, das von fleißigen Händen und durch ehrliche Arbeit erworben werden muß. Auf unseren Abbildungen versuchen wir, Ihnen einen Tag am Salaš in Liptovská Teplička zu zeigen.
102.–106. Jahrhundertelang, seit den ersten Tagen der Menschheitsgeschichte, vollziehen sich Annäherungsprozesse zwischen Mensch und Tier
107. Vorfrühling in Liptovská Teplička, einem eigenwillig anmutenden Dorf am Fuße des Kráľova hoľa. Es wurde von goralischen Ansiedlern aus dem Gebiet der Oberen Orava gegründet. Erstmals erwähnt wurde es in einer Urkunde aus dem Jahre 1634
108. Während der Schlachtfestzeit im Winter wird die Luft von Liptovská Teplička vom charakteristischen Aroma der allerorten anzutreffenden Räucherwerke durchzogen
109.–110. In die Erde gegrabene Keller findet man in der Slowakei sonst nirgendwo so, wie man sie gerade in Liptovská Teplička finden kann. Sie dienen vor allem zum Einkellern der Winterkartoffeln. Heute stehen sie unter Denkmalschutz
111.–112. Verbrennung der Moränen. Es handelt sich hierbei um einen uralten Brauch, der noch aus heidnischer Vorzeit stammt. Hier sehen wir dieses Brauchtum belebt durch eine Folkloregruppe aus Liptovská Teplička. Die Mädchen tragen die Moräne – eine Strohpuppe, die in eine Volkstracht gekleidet wurde – singend durch das ganze Dorf und rufen dabei auch volkstümliche Sprichwörter und Redensarten aus, um sie dann – schon entkleidet – anzündend und in den Bach zu werfen. Damit wird auf symbolische Art die Macht des Winters gebrochen
113.–114. Feiertäglich gekleidete Mädchen aus Batizovce erwarten die Osterfeiertage. Die hier hergestellten Kratzeier gehören zu den schönsten Ostereiern in der Slowakei

115. Inmitten blühender Frühlingswiesen schauen wir auf Ortschaften am Fuße der Tatra herab – auf Šuňava, Štrba und Tatranská Štrba. Die letztgenannte Ortschaft ist die am höchsten gelegene Gemeinde in der Slowakei überhaupt (1 112 m)
116. Ein Fujara-Spieler aus Štrba
117. Mädchen und Frauen aus Štrba in feiertäglicher Aufmachung
118. Die Gemeinde Štrba wurde 1280 erstmals urkundlich erwähnt. Sie liegt am Südhang der Tatra – an der Grenze zwischen dem Popracer und Liptover Talkessel, im Quellgebiet der Flüsse Poprad und Waag (Váh)
119. Die Gebäude der Grundschule von Tatranská Štrba passen sich hinsichtlich ihrer Architektur auf hervorragende Weise der Natur der Umgebung an. Es handelt sich zugleich um die höchstgelegene Schule in der Tschecho-Slowakei.
120. Gedenktafel am Haus Nr. 566 in Štrba, die an den Volkskunstpreisträger Martin Benka erinnert. Sie wurde vom akademischen Bildhauer Imrich Svitana geschaffen und anläßlich des 100. Geburtstages des Künstlers enthüllt
121. Das neue Rathaus von Štrba wurde im Stil der für die Tatra typischen Architektur errichtet
122. Štrba wird von einer dicken Schneedecke eingehüllt
123. Während der Weihnachtsfeiertage ziehen kleine „Bethlehemer" von Haus zu Haus und führen ein in Versform gefaßtes Krippenspiel vor. Jede gute Hausfrau bedankt sich bei ihnen für die erwiesene Ehre nicht nur mit Worten, sondern auch mit selbstgebackenem Gebäck. Gegenwärtig pflegen die Jungen des Folkloreensembles Štrbianček diesen Brauch
124. Volkstrachten alter Frauen aus Štrba
125.–128. Wenn in Batizovce die Faschingszeit heranrückt, ist das ganze Dorf auf den Beinen. Ein Maskenumzug, in dem sich auf jeden Fall ein „Strohmann", ein „Dickbauch", ein ge „Schmiedegesellen", „Eierfrauen", ein Harmonikaspieler und Sänger der ortsansässigen Folkloregruppe befinden müssen, wird hier veranstaltet. In jedem Haus hinter lassen die „Masken" eine kleine Aufmerksamkeit, die sie erinnern soll – zumeist sind es die rußgeschwärzten, vordem rosigen Wangen der jungen Mädchen. Dafür zeichnen vor allem die „Schmiedegesellen" verantwortlich, die sich vor dem Umzug die Hände kräftig einfärbten.
Die „Eierfrauen" wiederum lassen sich keinen Hühnerstall entgehen und ziehen mit den frisch gelegten Eiern von dannen. Und für das dargebotene Ständchen wird die Faschingsgesellschaft mit einem Gläschen Schnaps und einem Stück Speck, Räucherwurst oder Kuchen belohnt, und man zieht zufrieden weiter . . .
129. Die am Fuße der Hohen Tatra liegende Ortschaft Važec stellt sich Ihnen in ihrer ganzen Schönheit vor dem Hintergrund der malerischen Tatra und im Tal der Weißen Waag. Die Ansiedlung wurde im 13. Jahrhundert gegründet. Ihre Bewohner befaßten sich vor allem mit der Rinder- und Schafzucht der Holzfällerei und dem Holzverkauf sowie dem Verkauf von Sägewerksprodukten widmeten sich der Herstellung und dem Verkauf von Holzschindeln, arbeiteten als Fuhrmänner und Flößer. Zu den traurigen Ereignissen in der Geschichte dieses Dorfes gehört die Feuersbrunst im Jahre 1931, die fast kein einziges Haus verschonte . . . Heute ist Važec ein neuerbautes ansehnliches Dorf, das auch unter volkskundlichem Aspekt interessant ist. Hier wirkte der Maler der Tatra-Landschaften – Ján Hála (1890–1959). In unmittelbarer Nähe befindet sich – unterirdisch – die bekannte Tropfsteinhöhle von Važec, die mit ihrer Schönheit alljährlich mehrere tausend Besucher anzulocken vermag.
Der symbolhafte Kriváň – der erste Gipfel von links bei unserem Panoramablick auf die Hohe Tatra – scheint nach dieser Ansicht der höchste Gipfel dieses Gebirges zu sein. Es handelt sich aber um eine optische Täuschung.
130. Ján Hála: „Waschebleiche", 1944, Öl, 100 × 120 cm: aus der Sammlung der „Tatra-Galerie" in Poprad
131. Ján Hála: „Mit Kind", 1953, Öl, 80 × 100,5 cm; aus der Sammlung der „Tatra-Galerie" in Poprad
132.–138. In Východná findet seit 1953 regelmäßig Folklorefestivals mit Auftritten von Folkloregruppen vor allem aus der Slowakei statt. Als Gäste begrüßt man hier häufig auch Volkskunstensembles aus Böhmen, Mähren und Schlesien sowie aus dem Ausland. Während dieser Tage ist das Dorf festlich geschmückt, in den Fenstern der Häuser werden Volkskunsterzeugnisse einheimischer handfertiger Volkskünstler ausgestellt. Die Festspiele beginnen mit einem Umzug der Teilnehmer durch das Dorf, wobei jede Gruppe alle anderen zu übertönen versucht; gute Laune herrscht sowohl unter den Teilnehmern als auch unter den Zuschauern. Alle begeben sich im Anschluß an den Umzug zu das am oberen Ende des Ortes gelegene Amphitheater, an Gelände von Volkskunstschnitzerarbeiten geschmückt wird – um sich zwei Tage lang ihrer großen Liebe hingeben zu können – der Volkskunst . . . Und es ist gut so, daß die Sitten und das Brauchtum unserer Vorfahren so erhalten werden
139.–141. Aus einer Tiefe von fast 1 km sprudelt hier – unweit der Gemeinde Vrbov – Thermalwasser mit einer Temperatur zwischen 56–65 °C aus der Erde hervor. Seit 1981 entstanden hier 6 Bassins, die sowohl für Heilkuren, als auch zu Erholungszwecken dienen. In der Sommermonaten wird das Gelände des Freibades von mehreren tausend Besuchern in Besitz genommen. Das Thermalwasser wirkt wohltuend vor allem bei Beschwerden des Bewegungsapparates
142. Auch in Poprad kann man den leider nur sehr kurzen Sommer in der Hohen Tatra mit vollen Zügen genießen
143.–144. Wir stellen Ihnen die beiden größten Bäume, die man in der Tatra finden kann, vor: Diese Tanne – eigentlich die Königin der Niederen Tatra – ist 41 m hoch und hat in Brusthöhe gemessen einen Umfang von 436 cm. Sie ist in der Nähe des Forsthauses an der Straße, die von Šuňava nach Liptovská Teplička führt, zu finden.
Diese Linde, deren Alter man auf rund 600 Jahre schätzt, ist wahrscheinlich die höchste Linde in der Slowakei. Der Stamm hat in Brusthöhe einen Umfang von 745 cm, die Linde selbst erreicht eine Höhe von ca. 20 m. Sie befindet sich am Meierhof Pustovec une t der Gemeinde Toporec.
145. Das Hornádtal gehört zu den interessantesten Gegenden der sich am Fuße der Hohen Tatra ausbreitenden Landschaft. Im Norden wird es vom Kozí chrbát (Ziegenrücken), im Süden durch die Niedere Tatra gesäumt. Man hat einen wunderbaren Blick auf den Talkessel des Hornád, wenn man den Gipfel des Jedlinská besteigt
146. Alte Schmiede in Kravany
147. Scheuern in Blockhausbauweise in Vikartovce
148. Die ursprünglich gotische römisch-katholische Kirche in Spišské Bystré die später im neogotischen Stil umgebaut wurde
149. Spišské Bystré, das 1294 erstmals urkundlich erwähnt wurde, kannte man bis zum Jahre 1948 unter der Ortsbezeichnung Kubachy
150. Der Talkessel des Hornád nach der Ortschaft Hranovnica. Im Hintergrund der Kozí chrbát (Ziegenrücken), dahinter die Hohe Tatra
151. Blick auf die Gemeinde Vikartovce

152. Fährt man von Hranovnica nach Poprad, so kommt man an Kvetnica nicht vorbei. Inmitten eines dichten Fichtenwaldes entstand hier in den 90er Jahren des vergangenen Jahrhunderts eine Tuberkuloseheilstätte, in der auch andere Erkrankungen des Respirationsapparates geheilt werden. Das Zentralgebäude nach der Rekonstruktion
153. An der Grenze zwischen Niederer Tatra und Slowakischem Erzgebirge liegt Vernár, dessen Geschichte bis in das Jahr 1295 zurückreicht. Vom 16. Jahrhundert an gehörte es zur Herrschaft von Muránsky
154. Der See im Areal des Sanatoriums Kvetnica. Es ist eine wahre Oase der Ruhe und zeichnet sich durch reine, den Genesungsprozeß unterstützende Luft aus
155.–157. Es gibt kein einziges Dorf und keine einzige Stadt in der Landschaft am Fuße der Tatra, die im Frühling nicht von liebenswerten Gästen besucht werden – von den Störchen. Mit Vorliebe errichten sie ihre Nester auf alten und neueren Schornsteinen, wobei sie gewöhnlich die Nester, die ihnen die vorsorglichen Naturschützer vorbereiteten, gänzlich ignorieren. Nicht anders verhält es sich auch in der Gemeinde Mlynica. Im Herbst, wenn die Zeit des Abfluges nach Afrika wieder heranrückt, trifft man sich auf den umliegenden Flurschaften zur „Vollversammlung", um anschließend gemeinsam abzureisen
158. Kurz danach suchen die ersten Fröste die Landschaft und ihre Bewohner heim, auf den Bäumen zeigt sich der erste Rauhreif. Und die Felder am Fuße der Tatra verwaisen für längere Zeit
159. Immer mehr Skifahrer benutzen mit großer Vorliebe die für Abfahrten aufbereiteten Hänge von Liptovská Teplička
160. Eine ähnliche Situation ist auch im Wintersportzentrum Vernár anzutreffen. Diese Zentren entlasten die traditionellen Wintersportzentren der Hohen Tatra
161.,162. Poesie des Winters am Fuße des Kráľova hoľa
163. Ein bezaubernder Winterabend im zweiten Vorhof des Červený Kláštor (Rotes Kloster), eines bedeutsamen nationalen Kulturdenkmals, das sich in den Pieniny befindet, am Ufer des Flusses Dunajec
164. Refektorium mit netzförmigem Rippengewölbe aus dem 16. Jahrhundert
165. Archäologische Exposition im Haus des Priors – sie vermittelt einen Einblick in die älteste Geschichte des Červený Kláštor (Rotes Kloster)
166. Porträt eines Kamaldulensermönches, Zeichnung auf einer Bank der Karthäuserkirche im Červený Kláštor (Rotes Kloster)
167. Ausstellung der Sakralkunst
168. Die Ausstellung zum Apothekerwesen, die sich im sog. Mönchshäuschen befindet, macht die Besucher des Museums mit einigen mittelalterlichen Heilpraktiken bekannt. Hervorzuheben sind darunter die Nutzung der wohltuenden Einwirkungen von Heilpflanzen auf den menschlichen Organismus. An diesem Ort wirkte der Mönch Cyprianus, ein Botaniker, Apotheker und Heilkundiger, der auch Autor eines Heilpflanzenherbariums ist
169. Die wunderschöne Umgebung und die interessante Geschichte des Červený Kláštor (Rotes Kloster) lockken alljährlich tausende Besucher zu einer Besichtigung an
170., 171. Die Mitarbeiter des Tatra-Museums in Poprad bereiten alljährlich im Hof des Červený Kláštor (Rotes Kloster) interessante Ausstellungen vor. 1988 wurden hier Vogelscheuchen und Feldhüter gezeigt, 1989 konnte man Bienenbeuten besichtigen
172. Blick auf das Červený Kláštor (Rotes Kloster) von der Südseite her
173. Das Haus des Priors und der Klosterbrunnen im dritten Vorhof
174. Das Mönchshäuschen, in welchem der Mönch Cyprianus lebte und wirkte
175. Eine geradezu märchenhafte Kulisse bieten die Tri koruny (Drei Kronen) dem Červený Kláštor (Rotes Kloster) – sie befinden sich aber bereits auf polnischem Gebiet, am anderen Ufer des Dunajec
176.–183. Das Volkskunstfestival der Hintermagura gehört zu den wichtigsten kulturellen Ereignissen dieses Gebietes. Das Amphitheater unterhalb der Tri koruny (Drei Kronen) wird von Liedern der Goralen, deren Volksbräuchen und ihrem Humor belebt. Solisten, Kinderensembles und Volkskunstgruppen Erwachsener stellen sich mit dem Schönsten vor, was die Schatzkammer der Volkskunst über Jahrhunderte hinweg in den niedrigen, einstmals sehr elenden Holzhäusern dieser Region, die oft auch unter der Bezeichnung „Severný Spiš", d. h. Nördliche Zips, geführt wurde, zu bewahren wußte
184. Eine Perle der Hinteren Magura – die Stromschnellen des Dunajec – bieten vor allem Touristen ein unvergeßliches Erlebnis – eine Floßfahrt von Červený Kláštor (Rotes Kloster) aus bis nach Lesnica, die über eine Strecke von ca. 7 km führt. Es ist zugleich die bequemste Art der Besichtigung der herrlichen Szenerie des Nationalparks Pieniny
185. Flößer im strudelnden Wasser des Dunajec unterhalb der Gruppe „Sedem mníchov" (Sieben Mönche)
186. Zu den wertvollsten Pflanzen des Nationalparks Pieniny gehört die Goldblumi (*Chrysanthena Zawadskii*). Sie wächst nur in den Pieniny und im Ural, nirgendwo sonst auf der Erde
187. Wenn im Frühling das Goldkörbchen *(Alyssum saxatile)* erblüht, erhalten all die grauen Felsen im Stromschnellengebiet des Dunajec ein neues, leuchtend gelbes Gewand
188. Der internationale Slalomwettkampf am Fuße der Pieniny lockt alljährlich hervorragende Vertreter dieses anspruchsvollen Sportes aus ganz Europa an die Stromschnellen des Dunajec. Der Wettkampf wurde 1954 auf Anregung und unter Leitung der heute bereits legendären Persönlichkeit der Hinteren Magura, Dušan Benický, erstmals durchgeführt
189. Zentrum der Hintermagura ist Spišská Stará Ves, eine Stadt, die in den Jahren von 1272–1290 erstmals urkundlich erwähnt wird. Heute entfaltet sich hier vor allem der Maschinenbau und auch die Textilindustrie. Die Stadt ist touristischer Ausgangspunkt für Besucher des Nationalparks Pieniny
190. Frontseite der römisch-katholischen, ursprünglich gotischen Kirche Mariä Himmelfahrt aus der 2. Hälfte des 14. Jahrhunderts in Spišská Stará Ves. Im Jahre 1772 wurde sie dem Barockstil angepaßt
191. Steinrelief an der Südmauer der Kirche von Spišská Stará Ves
192. Spišské Hanušovce
193.,194. Die Gemeinde Zálesie war vor allem im 17. Jahrhundert als Meierhof der Herrschaft Nedecký bekannt. Sie liegt gut versteckt in den Wäldern der Hintermagura, und das Leben hier ist auch gegenärtig nicht gerade leicht zu nennen
195.,196. Schönheiten der Herbstlandschaft
197. Osturňa ist eine denkmalsgeschützte Reservation volkstümlicher Architektur. Wir beginnen unseren Spaziergang am oberen Ende des Ortes
198.,199. Das Einschaffen des Holzvorrates für den Winter gehört in Osturňa zu den wichtigsten Tätigkeiten
200. Auf dem Bauernhof rüstet man sich zur Arbeit, die eine gute Ernte auf den handtuchartigen Feldern dieser Berggegend sicherstellen soll
201. Mädchen aus Osturňa in feiertäglicher Volkstracht mit den typischen rot-weißen Schmuckornamenten an den Ärmeln vor dem Haus Nr. 112
202.–207. Das Fenster – das Auge in die Welt. Auch wenn die Welt von Osturňa nur sehr klein ist, für seine Einwohner ist sie die allerschönste
208. Herbstliches Stilleben
209. Die Hohe Tatra und die Beliansker Tatra von der Spišská Magura aus gesehen
210. Letzte Kontakte mit dem Herbst, wie er sich unterhalb der Hohen Tatra zu zeigen und zu geben pflegt
211. Ždiar zählt zu den größten denkmalsgeschützten Reservationen volkskünstlerischer Architektur der Landschaft zu Füßen der Hohen Tatra. Die Ortschaft erstreckt sich über ein fast 7 km langes Gebiet – ausgehend von den Höhen der Beliansker Tatra in unmittelbarer Nachbarschaft zur Spišská Magura. Die Ortschaft wurde im 15. Jahrhundert in der Zeit der Walachenkolonisation angelegt. Sie gehörte einst zur Herrschaft Lendacký. Heute ist der Ort fast übervölkert von Touristen, die vor allem die volkstümliche Architektur bewundern, die eigenständige Bekleidung und Lebensweise der Einwohnerschaft bewundern. Sehr viele Touristen nutzen gern die Möglichkeiten, in den hiesigen Holzhäusern Quartier nehmen zu können. Die Umgebung von Ždiar bietet eine Vielzahl von Wanderzielen an und im Winter haben Skifahrer, die mehr Erholung als sportliche Höchstleistung suchen, ein wahres Paradies in den Wintersportzentren „Pod Príslopom" und im „Bachledova dolina" (Bachleda-Tal) vor sich
212. Brunnendach in Ždiar
213. Viel zu früh kam der Winter wieder
214. Javorina ist die letzte Gemeinde auf dem Weg nach Lysá Poľana, wo sich ein Grenzübergang zu Polen befindet
215. Blick in einen Winkel eines Bauernhofes in Ždiar
216. Winterliches Stilleben in Lendak
217. Abfahrtshänge des Wintersportzentrums mit einem dreisitzigen Skilift von Tatrapoma im „Bachledova dolina" (Bachleda-Tal) – dazu das Panorama der Beliansker Tatra
218. Eines der am häufigsten fotografierten Motive von Ždiar im Vorfrühlingsgewand. Das Blockhaus bildet mit den Wirtschaftsgebäuden den typischen in sich geschlossenen Hof mit einem Atrium. Die blauen Fugen zwischen den einzelnen Balken kontrastieren sehr gut mit der Patina des Holzes und der Schindeln
219. Interieur eines Zimmers in Ždiar
220. Fenster eines Holzhauses in Ždiar mit dem für Ždiar typischen Ornament
221.–224. Wenn man sich im Tatra-Talkessel befindet, so sollte man nicht versäumen, der Beliansker Höhle einen Besuch abzustatten. Es handelt sich um die einzige Tropfsteinhöhle im Bereich des Tatra-Nationalparks. Von Schatzgräbern wurde sie zuerst ausfindig gemacht. Die älteste Inschrift an der Wand des sog. Sängersaales stammt aus dem Jahre 1718. Die Länge der bislang bekannten und erschlossenen Gänge beträgt 1752 m, der Höhleneingang befindet sich in einer Höhe von 885 m. Für die Öffentlichkeit zugänglich war die Höhle zum ersten Mal am 6. August 1882, und als eine der ersten Höhlen der Welt wurde sie am 29. November 1896 mit elektrischem Licht ausgestattet.
225.,226. Ein Regentag im Tatra-Talkessel
227. Bergwiesen
(228.–231.) Wenden wir unsere Aufmerksamkeit für eine Weile den slowakischen Flüssen, die im Gebiet der Tatra entspringen, zu
228. Der Weiße Waag hat keine Quelle – er entsteht durch den Zusammenfluß des Zlomisko- und Furkotbaches unterhalb des „Weges der Freiheit". In seinem Oberlauf drängt er sich durch die dichten Wälder der Tatra
229. Der Fluß Poprad entsteht ebenfalls durch Zusammenfluß – des Hinz- und des Krupbaches, die dem Poprader See entspringen. Wir sehen hier seine ersten Meter im Mengusovce-Tal.
230. Kristallklares Wasser, das aus einem Holztrog fließt, ist die Quelle des Hornád. Wir können sie im Gebirgszug der Niederen Tatra finden, unweit des Weges, der von Vikartovce nach Liptovská Teplička führt
231. Der Schwarze Waag, der am Fuße des legendären Kráľova hoľa entspringt, schlängelt sich wie ein Silberband durch blühende Wiesen, um mit seinem Wasser einige Kilometer weiter den gleichnamigen Stausee, der der Erzeugung ökologisch reiner Elektroenergie dient, zu speisen. Von Kráľova Lehota an bildet er gemeinsam mit dem Weißen Waag den größten slowakischen Fluß – den Waag.
(232.–241.) Wohl kaum ein anderes Gebiet unserer Heimat kann sich mit einem so vielgestaltigen Netz von Verkehrseinrichtungen rühmen, wie man es in der Hohen Tatra und deren unmittelbarer Umgebung vorfinden kann: nach Poprad, dem Tor zur Hohen Tatra, kann man per Flugzeug, Eisenbahn, Autobus oder mit dem eigenen Kraftfahrzeug gelangen. Im Einzugsbereich der Tatra überwiegen elektrische Züge auf den Trassen zwischen Poprad und Starý Smokovec und von hier aus nach Štrbské Pleso und nach Tatranská Lomnica. In höher gelegenen Gebieten der Tatra findet man zumeist spezielle Transporteinrichtungen – egal, ob auf der Erde oder in der Luft. Von kompetenter Seite bemüht man sich, im Bereich der gesamten Hohen Tatra Fahrzeuge mit Verbrennungsmotoren als Transportmittel zu eliminieren, denn gerade diese zählen zu den größten Umweltverschmutzern. Inwieweit diese Bemühungen von Erfolg gekrönt sein werden, wird die Zukunft zeigen
232. Morgenstimmung über den Wolken am Skalnaté Pleso
233. Straße zwischen Veľká und Tatranská Lomnica
234. Erdseilbahn von Starý Smokovec aus zum Hrebienok
235. Zahnradbahn von Štrba zum Štrbské Pleso
236. Gipfelstation der Seilbahn am Solisko
237. Elektrifizierte Eisenbahnstrecke zwischen Poprad und Starý Smokovec
238. Seilbahn vom Skalnaté Pleso zum Lomnické sedlo (Lomnitzer Sattel)
239. Kabinenseilbahn auf die Lomnitzer Spitze (Lomnický štít); im Hintergrund das Observatorium der Slowakischen Akademie der Wissenschaften am Skalnaté Pleso
240. Sonderfahrtbus vorm Hotel Bellevue
241. Alte und neue Kabinenseilbahn von Tatranská Lomnica zum Skalnaté Pleso
242. Der Štrbské Pleso gehört zu den meistbesuchten touristischen Zentren in der Hohen Tatra. Er liegt in 1 350 m Höhe inmitten der einzigartigen Szenerie der Berggipfel der Hohen Tatra. In den Sommermonaten bildet er den Ausgangspunkt für die umliegenden Täler und für Bergsteigertouren auf die umliegenden Gipfel. Im Winter finden Freunde des Wintersportes hier ein wahres Paradies, doch auch für Leistungssportler können im Areál snov (Areal der Träume) Wettkämpfe in den klassischen Skidisziplinen organisiert werden.

Patienten, die an Erkrankungen der Atmungsorgane leiden, Linderung und endgültige Heilung zu bringen – dazu leisten die Sanatorien „Helios", „Hviezdoslav", „Končistá" und deren Nebenobjekte einem wichtigen Beitrag. Gäste dieses Gebietes können in mehreren Hotels Unterkunft finden – wir erwähnen nur die Hotels „Patria", „Panorama" und „FIS"

243. Frühlingsenzian (Gentiana verna)
244. Zwergglockenblume (Campanula pusilla)
245. Legföhre
246. Das sonnige Restaurant im Hotel „Patria" ragt durch das hohe künstlerische Niveau seiner Innenausstattung und durch die Spezialitäten der hiesigen Küche hervor
247. Leckerbissen der ungarischen Küche werden im Hotel „Patria" von Küchenchefs aus Budapest vorgestellt
248. Speisen der slowakischen Küche werden im Restaurant „Slovenka" im Hotel „Patria" angeboten
249. Einem angenehmen Abend können Sie in der exklusiven Nachtbar „Vatra" des Hotels „Patria" verbringen
250. Erfrischung bietet das Schwimmbecken im Hotel „Patria"
251. Das Einkaufszentrum in Starý Smokovec
252. Das Hotel „Grand" in Starý Smokovec unterhalb des langgezogenen Slavkovský-Gipfels gehört zu den ältesten Hotels in der Tatra. Es wurde 1904 erbaut
253. Aufenthalt auf der Terasse des Hotels „Park" in Nový Smokovec
254. Das Hotel „Park" in Nový Smokovec fesselt durch den Rundbau des Hotelteils
255. Das „Grandhotel Praha" in Tatranská Lomnica
256. Aufenthalt in der „Zbojnícka koliba" beim „Grandhotel Praha". Man bietet den Gästen hier nicht nur gute Weine, sondern auch sog. „Räuberspezialitäten" an
257. Im Areal Eurocamps FICC in Tatranská Lomnica können die Anhänger des Autocampingsportes ihren Urlaub verbringen
258. Das inmitten von Wäldern gelegene Hotel „Kriváň" in der Ansiedlung Podbanské ist eine wahre Oase der Ruhe
259. Sommerferien auf der „Station junger Techniker" in Tatranské Mlynéeky
260., 261. Ein modernes Betriebsferienheim erbaute der Poprader Betrieb „Vagónka" in Stará Lesná. Jetzt ist es Eigentum der Slowakischen Versicherungsanstalt und trägt den Namen „Horizont"
262. Den Bau des modernen Ferienheimes „METALURG" in Tatranské Matliare finanzierten die Ostslowakischen Eisenhüttenwerke
263. Das Erholungsheim für Bergleute aus Ostrava „PERMON" in Podbanské
264. Das Ferienheim „MORAVA" in Tatranská Lomnica wurde 1932 erbaut; es gehörte ursprünglich der Versicherungsanstalt Brno
(265.–269.) Die wohltuende Wirkung des Gebirgsklimas für die menschliche Gesundheit war Anlaß für die Errichtung einer ganzen Reihe von Heilstätten und Sanatorien in der Hohen Tatra. Sie sollen den Menschen bei der Überwindung von Erkrankungen vor allem der Atemorgane helfen
265. Frontseite des Sanatoriums für Respirationskrankheiten in Nový Smokovec; es wurde zwischen 1915 und 1925 erbaut
266. Heilstättenkomplex in Vyšné Hágy
267. Sanatorium „Hviezdoslav" in Štrbské Pleso
268. Sanatorium „Helios" in Štrbské Pleso
269. Sanatorium „Európa" in Nový Smokovec; nach seiner Errichtung im Jahre 1894 diente es zuerst als Hotel
(270.–274.) Das sog. „Areál snov" (Areal der Träume) – so heißt der Komplex von Sprungschanzen und Langlauftrassen am Štrbské Pleso. In die Geschichte ging es im Jahre 1970 ein, als hier die Weltmeisterschaften in den klassischen Skidisziplinen veranstaltet wurden. Seitdem wurden hier schon eine ganze Reihe weiterer sportlicher Wettkämpfe organisiert, und man rühmt heute an vielen Stellen in der Welt sowohl die Organisatoren als auch die Gastfreundschaft
270. Zwischen Himmel und Erde
271. Wettkampf auf den Langlaufstrecken um den „Tatra-Pokal" im Jahre 1985
272. Ein nicht alltäglicher Blick zu nächtlicher Stunde auf das Areál snov (Areal der Träume)
273. Folkloreprogramm im Areál snov (Areal der Träume)
274. Der Höhepunkt der Eröffnungsveranstaltung zur XIII. Winterolympiade im Jahre 1987 war die Entzündung des olympischen Feuers
275. Die Freunde des Abfahrtslaufes finden in Lomnické sedlo (Lomnitzer Sattel) ein Areal, das auch anspruchsvollsten Wünschen gerecht werden kann. Regelmäßig trägt man hier internationale Wettkämpfe im Riesenslalom um den „Großen Preis der Slowakei" (Veľká cena Slovenska) aus
276. Auch das Skisportareal am Hrebienok ist oftmals Zeuge von vorrangigen internationalen Wettkämpfen im Spezialslalom
277.–279. Das Ende der Winterskisaison in der Tatra vergegenwärtigen sich die Mitarbeiter der Reisebüros und Hotels aber auch deren Kunden und Gäste durch die Veranstaltung eines Faschings auf Skiern. Nach der Abfahrt der einzelnen Masken von den Hängen der Hrebienok aus feiert man vor dem Hotel „Grand" in Starý Smokovec ein großes Volksfest. Hier wird auch in den Abendstunden das schönste Kostüm ausgezeichnet, und damit endet zugleich der Grand Prix
280. Auf dem Gipfel des „Lomnický štít" (Lomnitzer Spitze) (2 632 m) stellte man im Jahre 1940 die Empfangsstation der Seilbahn fertig. Sie wird durch die Objekte des meteorologischen Observatoriums ergänzt. Die hier tätigen Wissenschaftler widmen sich der Erforschung der Sonnenkorona und der kosmischen Strahlung. Diese Aufnahme entstand bei -27 °C Außentemperatur
281. Unsere Abbildung zeigt Marián Rajčan, einen der dienstältesten Meteorologen in der Tatra, bei seiner Arbeit am höchstgelegenen Arbeitsplatz in unserer Heimat
282. Blick von der Lomnitzer Spitze (Lomnický štít) aus auf den Kežmarský štít (Käsmarker Gipfel) (2 558 m) und auf die Belianske Tatra
283. Der Aufstieg in stets größere Höhen lockt die Menschen schon seit Urzeiten. Diesen Traum können aber nur die wagemutigsten unter ihnen verwirklichen – die Bergsteiger. Die Besteigung des Ihla bei Ostrava gehört zu den weniger anspruchsvollen Bergsteigertouren
284. Abseilen in einer extrem schweren Wand
285. Die Berge sind nicht nur schön, sondern leider sehr oft tückisch und verräterisch.

Schon geringfügige Unachtsamkeiten oder die Unterschätzung der Wetterverhältnisse reichen aus, um große Tragödien zu verursachen. Dann ist die Reihe am Bergrettungsdienst und seinen Mitarbeitern, die zu Rettungsaktionen aufbrechen, um das teuerste, was es gibt, zu retten – das Menschenleben. Leider ist oft alle eingesetzte Mühe vergebens, kommt die Hilfe zu spät . . . Den Männern vom Bergrettungsdienst erleichtern moderne technische Hilfsmittel die schwere Arbeit – seit einiger Zeit steht ihnen sogar ein Hubschrauber zur Verfügung
286. Kurze Rast, die man nutzt, um die Bergsteigerausrüstung zu ordnen
287.–291. Wenn Sie den Poprader See (Popradské pleso) besuchen, so versäumen Sie es bitte nicht, denen die Ehre zu erweisen, die die Berge über alles liebten, denen sie aber zugleich zum Verhängnis wurden. Unterhalb des Ostrva legte man auf Anregung des akademischen Malers Otakar Štáfl, eines großen Verehrers der Tatra, den „Symbolischen Friedhof" an. Die kleine Kapelle inmitten der Anlage stellt zugleich das Zentrum der Anlage dar um welches herum Gedenktafeln mit den Namen der Opfer der Tatra, doch auch anderer Berge, aufgestellt wurden. Unter anderen können Sie hier auch eine Gedenktafel für „Juzek" Psotka, der beim Abstieg vom Gipfel des Mount Everest tragisch ums Leben kam, finden.
Die Holzkreuze stammen aus der Werkstatt des Holzschnitzers und Volkskünstlers Jozef Fekiač-Šumný
292. Sommerabend im Mengusovce-Tal in der Nähe des Poprader Sees (Fopradské pleso)
293. Nur der kann sich an der Schönheit des Bergrückens Bášť (Bastei), erleuchtet von der aufgehenden Sonne, die sich außerdem in den Žabie plesá (Froschseen) widerspiegelt, erfreuen, der bereits in den ersten Morgenstunden, fast noch zur Nachtzeit, zur Tour aufbricht
294. Auf dem Wege zum Rysy kommt man an der höchstgelegenen Bergbaude der Tatra – der Baude im sedlo Váha (Waagsattel) (2 250 m) vorbei
295. Auch unter den rauhen Bedingungen des Hochgebirges erblüht der Schnee-Erzian
296. Blick vom Gipfel des Vysoká auf den Český štít (Böhmergipfel), Rysy und die Mengusovské štíty (Mengusovský-Gipfel)
297. Von den Hängen des Rysy aus erfreuen uns Ausblicke in das Česká dolina (Böhmisches Tal) auf den Ganek und das Panorama der Tatra in Richtung Osten
298. Während des Aufstieges auf den Kôprovský štít (Kôprovský-Gipfel) erfreuen uns Ausblicke auf den größten Bergsee im slowakischen Teil der Hohen Tatra – auf den Hincovo pleso (Hinzsee), der sich über eine Fläche von 20,08 ha erstreckt
299. Vom Kôprovský štít (Kôprovský-Gipfel) aus öffnet sich dem Betrachter der Ausblick in das Temnosmrečinská dolina und auf die Westtatra
300. Über dem Kôprovský-Tal erhebt sich stolz der Kriváň (2 494 m), der – von Sagen umwoben – für die Slowaken großen Symbolwert hat
301. Alpenmurmeltier (Marmota marmota)
302. Steinadler (Aquila chrysaetus)
303. Berggemse (Rupicapra rupicapra)
304. Die ersten Fröste verzaubern auf eine seltsame Weise und rufen eine besondere Atmosphäre am Bergsee über dem Skok hervor
305. Rückkehr von einer Tour
306. Obwohl in den Tälern noch Herbst ist – in den Gipfellagen der Tatra waltet schon Winterstimmung. Wir blicken auf einen der schönsten Berggipfel – das Massiv des Vysoká (2 560 m) –, auf den Český štít (Böhmergipfel) und auf den Kôpky
307.–309. Stilleben der Natur im Herbst und im Winter in der Tatra
310. Touristen besichtigen sehr gern den Wasserfall Skok im Mlynická dolina
311. Wasserfall im Tal der Žabie plesá (Froschseen)
312. Blick vom Velické pleso beim Berghotel Sliezsky dom (Schlesierhaus) in das Velická dolina mit den Granátové veže
313. Wärmende Sonnenstrahlen durchbrechen die dichte Wolkendecke
314. Wasser und Blumen (Crocus scepusiensis)
315. Die Terry-Baude vom mittleren Spišské pleso (Zipser See) aus gesehen. Im Hintergrund dominiert ein von Bergsteigerexpeditionen oft aufgesuchtes Ziel – der Prostredný hrot (Mittelgrat) (2440 m) und die Žltá stena (Gelbwand), eine der schwersten Touren in der Hohen Tatra
316. Der Modré pleso (Blausee), der sich in einer Höhenlage von 2 157 m im Tal Pod Sedielkom (Unterm Sattel) befindet, gehört zu den am höchsten gelegenen in der Hohen Tatra
317. Beim Aufstieg in das Červená dolina (Rotes Tal) hat man einen Ausblick auf den Zelené pleso (Grünsee) und den Pyšný štít (2 623 m)
Die Brnčal-Baude am Zelené pleso (Grünsee) bietet oft Bergsteigergruppen Unterschlupf. Über ihr dominiert das Massiv der Jastrabia veža
319. Zu den einzigartigen Pflanzen der Hohen Tatra gehört ganz ohne Zweifel das alpine Edelweiß (Leontopodium alpinum Cass.)
320. Punktierter Erzian (Gentiana punctata)
321. Eines der meistbesuchten Nordtäler der Tatra – das Bielovodská dolina (Weißwassertal) – im Vorfrühlingskleid
322. Trollblume (Trollius europaeus)
323. Zwergprimel (Primula minima)
324. Karpathenalpenglöckchen (Soldaneľa carpatica)
325. Berghauswurz (Sempervivum montanum)
326. Die Beliansker Tatra – von den letzten Strahlen der untergehenden Sonne erhellt

Vordere Umschlagseite:
Auf den Bergwiesen der Hohen Tatra. Tänzer des Magura-Ensembles in Goral-Tracht

Letzte Umschlagseite:
Die majestätische Gerlachspitze (Gerlachovský štít) (2 655 m) – der höchste Gipfel in der Slowakei. Blick von der Ostseite des Vysoká. Enzian (Gentiana clusii)

RÉSUMÉ

LA REGION DU PIED DES TATRAS

Nos promenades à travers la région du pied des Tatras, immortalisées dans les trois cent trente-trois photos qui composent cet ouvrage imposant, ont lieu sur le territoire de la Slovaquie du Nord-Est. Plus précisément, on peut situer l'itinéraire de notre circuit dans la zone où se touchent le Haut Liptov et le Spiš du Nord. Plus simplement – nous nous enfoncerons ensemble dans les beautés exceptionnelles et incomparables des Hautes Tatras et de la région s'étendant immédiatement à leur pied.

LA REGION DU PIED DES TATRAS

Région, site du symbole éternel de la Slovaquie, région à la fois rude et gracieuse, région entourée de nombreux mythes et légendes, région pleine de beautés enchanteresses et d'activités créatrices qui y ont accumulé au fil des siècles des richesses sans nombre. Il est impossible de tout raconter et de tout montrer, de saisir tous les changements que la vie y a connus depuis la préhistoire. Ces trois cent trente-trois images représentatives illustrent les résultats des activités des générations antérieures conservés jusqu'à l'époque contemporaine qui respecte leur legs.

LA REGION DU PIED DES TATRAS

Nulle autre région de Slovaquie n'a été dotée d'une telle richesse et d'une telle variété de formations naturelles comme les ensembles dans les articulations capricieuses des cuvettes de Poprad et de Hornád ou bien de Spišská Magura. L'ample arc de ce tapis coloré est clairsemé des beautés visibles et cachées des formes et des couleurs des champs de blé et des prairies, et rafraîchi de nombreux ruisseaux et petites rivières. Au ciel étoilé de la région brille une pléïade d'autres étoiles de première grandeur. Elles brillent jusqu'aux confins les plus éloignés du Haut Liptov et de Zamagurie qui furent la patrie d'hommes travailleurs et francs, créateurs d'un art populaire original.

LA REGION DU PIED DES TATRAS

Grâce aux archéologues et aux historiens on peut dire aujourd'hui, avec une certaine fierté, que la vie et le travail des populations du pied des Hautes Tatras, bien qu'apparemment monotones, nous ont laissé des produits de culture matérielle et spirituelle d'une valeur inestimable. Les premières traces du peuplement de cette région parviennent de l'homme de type néanderthalien ayant vécu, il y a environ 117 mille ans, près des sources chaudes des travertins à Gánovce. Et de même que les étés alternaient avec les hivers, que les générations se suivaient, ainsi changeait également la manière de vivre du peuple de cette région. Aux habitants primitifs slaves sont venus se joindre les colons allemands qui ont enrichi le travail des bons cultivateurs par l'habileté de la production artisanale. Cette région a connu un développement sans pareil dès le 13e siècle. De petites maisons en poutres firent place aux maisons de pierre, on construisit une série de villes et de bourgades qui avaient pour dominante des églises, des couvents, des fortifications. Nombre d'entre elles devinrent d'importants centres de production manufacturée et de commerce. Même aujourd'hui, l'art des maîtres constructeurs d'antan mérite bien notre estime et admiration.

LA REGION DU PIED DES TATRAS

Dans l'histoire millénaire de la Slovaquie, la région du pied des Tatras eut plus d'une fois un mot décisif et y joua un rôle important. Par sa position, elle fut une ferme arrière-garde et un rempart pout les autres régions de Slovaquie ouvertes depuis toujours aux invasions des divers conquérants. Très souvent dans cette région on se battit pour défendre sa simple existence. Quoique le massif imposant des Hautes Tatras formât au Nord un bastion naturel, cette région n'en fut pas pour autant à l'écart des horreurs de la guerre. Tartares, plus tard hussites et Suédois, mais aussi les armées du tout-puissant Napoléon et d'autres encore traversèrent la région. Les dernières horreurs de la guerre prirent fin en 1945. Après cette année mémorable, le cliquetis des armes cessa, mais d'autres faits et événements, aujourd'hui difficiles à comprendre, se sont produits. La longue histoire de ces quelques 40 années jusqu'à la date mémorable du 17 novembre 1989, c'est à génération nouvelle de la juger comme il convient.

LA REGION DU PIED DES TATRAS

Mais laissons le passé à l'histoire et revenons à la région du pied des Tatras dont la dominante, les cimes rocheuses, a influencé depuis toujours le caractère de son peuple. Dans la riche culture spirituelle, bon nombre de légendes, chants et airs se conservèrent associés aux us et coutumes. On les rencontre même aujourd'hui à l'occasion des différentes fêtes religieuses et profanes. On les conserve dans des ensembles de musiciens et de chanteurs populaires et dans des groupes de danses et de chants. De plus en plus rares se font les gens qui connaissent les traditions orales populaires. Voilà pourquoi cet héritage est inscrit dans des livres pour qu'il soit gardé vivant le plus longtemps possible. L'art populaire de la région du pied des Tatras – comme nul autre de la Slovaquie – révèle l'existence simultannée d'éléments provenant de plusieurs groupes ethniques. A l'Ouest, on est accueilli par les chants et les coutumes du Haut Liptov et de Horehronie remplacés, en se dirigeant vers l'Est de la région, par les airs des habitants de la cuvette de Hornád. Un peu moins en a été conservé dans la cuvette de Poprad, mais au Nord-Est ce sont les fiers montagnards qui nous font des signes d'adieu sous la Spišská Magura.

LA REGION DU PIED DES TATRAS

Une région originale. Attrayante par la beauté de sa nature, les monuments culturels et surtout par ses gens, les gens de la dernière décennie du vingtième siècle et du second millénaire.Ce sont bien les hommes qui ont façonné et modifié la région pour lui donner son visage actuel. L'oeil d'un photographe artistique est extrêmement sensible. C'est avec cette sensibilité que la région est évoquée dans cet ouvrage. Peut-être en est-elle un peu plus belle que dans la réalité. Les décennies passées, bien qu'elles n'aient rien enlevé à son pittoresque et à ses beautés, lui manifestaient une attitude marâtre. On y pillait, on détruisait. La nature dépérissait incroyablement, les objets historiques rares se délabraient et à mon avis ce ne sont que nos descendants qui sauront dresser le juste bilan de toutes les interventions insensibles de nos prédécesseurs. L'homme-admirateur est devenu l'homme-touriste. Bien sûr, même les touristes sont des admirateurs enthousiastes de notre région. Les nombreux établissements de tourisme des Hautes Tatras elles-mêmes et des environs accueillent chacun à bras ouverts, avec un bon repas et avec un mot bienveillant. Le rythme de vie trop rapide, la motorisation, le développement de l'industrie et du secteur tertiaire n'ont pas accordé à cette région non plus le temps nécessaire à la régénération: on semble avoir oublié que tout ce qui est vieux n'est pas forcément vieux et que le vieux peut également resplendir dans une beauté nouvelle. Eh oui, nous avons oublié le monde qui nous entoure. Nous avons cependant assez d'occasions pour sauver encore ce qui peut l'être. Nous pouvons admirer la flore et la faune rares des Hautes Tatras et, après une gorgée d'eau pure d'une fontaine de montagne, nous adonner à la contemplation des hauteurs sans fin des cimes des Tatras. Et de là baisser le regard sur la vallée et d'un oeil d'observateur essayer de deviner le nom d'une ville ou d'un village. Tout ce qui est caractéristique et singulier du passé et du présent de la région subsiste non seulement dans les archives et dans les musées, mais se retrouve partout autour de nous. Dès l'âge de la pierre, en effet, cette région attirait l'homme pour y créer un monde plein d'harmonie et de charme à qui même les millénaires n'ont pas enlevé sa beauté.

LA REGION DU PIED DES TATRAS

Eh bien, chère lectrice, cher lecteur, feuilletez notre livre et délectez-vous de la splendeur émanant des trois cent trente-trois photographies riches en couleurs. La région du pied Tatras est généreuse et accueille chacun qui y vient avec de bonnes intentions.

LÉGENDES DES PHOTOGRAPHIES

1. Le mont de Kráľova Hola (le Mont du Roi) vu du pic Lomnický štít par-dessus la cuvette de Poprad couverte d'un tapis de nuages
2. Vue générale de Poprad avec les Hautes Tatras au fond
3. L'histoire la plus ancienne de la cuvette de Poprad se déroule sur la butte de travertin Hrádok à Gánovce fameuse pour la découverte d'un moulage en travertin d'un crâne néanderthalien provenant de la dernière période glaciaire
4. Non loin de la commune de Veľký Slavkov on trouve le lieu dit Burich connu par les fouilles riches du néolithique, du premier âge du bronze, de la période hallstattienne et aussi de la période romaine antique. Les découvertes slaves datent des 10e–12e siècles
5. Le pylône près de la commune de Štrba rappelle la disparition du site moyenâgeux de Šoldovo
6. Derrière les hauteurs de Poprad se dresse le pic de Gerlach, le plus haut sommet des Hautes Tatras et de la Slovaquie
7. Le centre historique de la ville de Poprad
8. Le clocher Renaissance avec un attique à fronton et la tour de l'église catholique romaine Saint-Egide du premier gothique de 1220–1230 à Poprad
9. L'édifice du Musée de la région du pied des Tatras à Poprad de 1886
10. Les découvertes faites à Gánovce-Hôrky constituent l'essentiel de l'exposition archéologique du Musée de la région du pied des Tatras
11. Une pièce celtique des fouilles à Burich
12. Un casque celtique
13. Le moulage en travertin du cerveau avec la tête du Néanderthalien (reconstitution)
14. Poprad se réveille sur un jour nouveau

(15.–22.) L'architecture récente donne son visage au Poprad actuel

15. Bâtiment de la mairie
16. Le grand magasin Prior
17. Édifice de la Banque générale de crédit, à l'arrière–plan les hôtels Satel et Gerlach
18. La „maison des services"
19. L'hôpital et la polyclinique
20. Les magasins et les maisons dans la zone piétonne
21. La piscine couverte
22. Le stade d'hiver
23. Le centre d'administration et de commerce
24. L'hôtel Poprad
25. Poprad – le district urbain de Veľká
26. La monstrance gothique de Poprad-Veľká
27. La reservation urbaine de monuments à Spišská Sobota
28. Spišská Sobota. Jadis bourgade autonome, jointe à Poprad en 1945. En 1950, elle a été déclarée ville historique protégée. Vue des maisons bourgeioses moyenâgeu ses
29. Bow-window au-dessus du portail de la maison renaissance N° 41
30. Plaque commémorative à Jan Brokoff, sculpteur baroque natif de Spišská Sobota, créateur bien connu de statues du Pont Charles à Prague. Elle est apposée sur la maison N° 27 construite en 1740
31. La décoration en stuc de la façade d'une maison bourgeoise à Spišská Sobota
32. Idylle hivernale dans le jardin municipal. Au premier plan, le monument aux morts de l'an révolutionnaire 1848 et de la Première Guerre mondiale
33. La colonne mariale baroque de 1772 à Spišská Sobota
34. L'église catholique romaine Saint-Georges de la moitié du 13e siècle, originellement romane, reconstruite en style gothique en 1464, baroquisée au 18e siècle. Le clocher Renaissance de 1598 à un attique baroque de 1728. A l'intérieur de l'église, on peut admirer les joyaux de l'art gothique qui sont parmi les plus beaux non seulement en Spiš, mais aussi en Europe. La pièce maîtresse est surtout le maître-autel aux sculptures sur bois de Maître Pavol de Levoča datant de 1516
35. Vue de la nef de l'église Saint-Georges à Spišská Sobota. Au premier plan, un groupe de statues du Calvaire de 1489
36. Le bas-relief Saint Georges à cheval (177 × 180 cm) du maître-autel
37. Détail de la Cène du maître-autel
38. Pièce unique également, le petit autel gothique portatif avec bas-relief du Crucifié des années 1480–1490
39. La partie ouest à deux nefs de l'église Saint-Georges à Spišská Sobota avec les orgues du premier baroque provenant de l'atelier Gross à Spišská Sobota
40. L'intérieur de l'église catholique romaine de Tous les Saints à Batizovce. A l'origine construction romane du 13e s., elle a subi des modifications gothiques au cours des 14e et 15e siècles. Les autels baroques de la Vierge Marie, de Saint Dzime et de Saint Joseph datent des années 1764–1767
41. Le portail roman – vestige de l'édifice originel de l'église de Tous les Saints à Batizovce
42. Fresque gothique de Tous les Saints à Batizovce datant de la moitié du 14e siècle. Elle représente le couronnement et la mort de la Vierge Marie
43. L'église catholique romaine du saint roi Etienne de la 2e moitié du 13e s. et le clocher de la fin du 16e s. à Matejovce
44. Le bas-relief gothique représentant le Christ sur la croix et datant de la première moitié du 14e s. (1327 ?) est la pièce la plus précieuse de l'église du roi Etienne à Matejovce

45. L'intérieur de l'église romane catholique romaine édifiée au 13e s. à Mlynica et reconstruite en style gothique en 1425–1434. Du point de vue historique, la pièce la plus précieuse est le maître-autel de la Sainte Marguite en style gothique tardif. Il provient du début du 16e siècle et c'est l'oeuvre de l'atelier de Maître Pavol de Levoča. A droite, on voit l'autel latéral en style gothique tardif de l'évêque Saint Nicolas
46. La légende de Ladislas – peinture murale en premier gothique dans le déambulatoire de l'église Catherine d'Alexandrie à Veľká Lomnica. Elle représente la lutte de Saint Ladislas avec les Coumans
47. L'église romane-gothique Sainte-Catherine d'Alexandrie de la moitié du 13e s. à Veľká Lomnica. Au fond, on voit le panorama de la partie est des Hautes Tatras
48. L'autel gothique tardif de la Vierge Marie de 1493 dans la même église est également un exemple important de l'art gothique
49. L'architecture à deux nefs est typique des églises gothiques en Spiš. On le voit aussi dans l'église Sainte-Catherine d'Alexandrie à Veľká Lomnica
50. Automne à Veľký Slavkov. La commune est mentionnée déjà en 1251. Plus tard, elle fut colonisée par les Allemands de même que toute une série de villes et communes de Spiš et incorporée dans la communauté des Saxons de Spiš
51. Vue d'une partie de la cuvette de Poprad où est situé Kežmarok, l'une des villes les plus importantes en Spiš au moyen âge. A cause du grand nombre de monuments ayant historiquement un grand intérêt, le centre de la ville fut déclaré ville historique protégée. Elle est mentionnée pour la première fois en 1251 sous le nom de Villa Saxonum Apud Ecclesiam Sancte Elisabeth. Le territoire en fut cependant peuplé déjà au néolithique et à l'énéolithique; il y a de riches découvertes datant de l'âge du bronze, premier et tardif, et aussi de la période hallstatienne. On connait les preuves attestant ici l'existence d'une cité à l'époque romaine et à l'époque slave. Le nom actuel de la ville semble dérivé du nom d'une colonie allemande portant le nom de la marchandise la plus vendue au marché: le fromage (Käse–Markt). Les historiens n'arrêtent pourtant pas de disserter sun ce thème
52. En 1463, un édit royal accorde à la ville royale franche de Kežmarok le droit de se servir des armoiries de la ville
53. Sur le fond des Hautes Tatras se détache la tour de l'hôtel de ville de Kežmarok. La mairie, construite en 1461 par Maître Juraj de Spišská Sobota, fut reconstruite à plusieurs reprises (1541–1553, 1799, 1922, 1967–1970)
54. Maisons bourgeoises, primitivement gothique-renaissant, avec des toits typiques en selle sur la place Hradné námestie à Kežmarok
55. Le bâtiment de la redoute en style classique de 1818
56. L'architecture des maisons bourgeoises est complétée par les arcs de passage à l'entrée des ruelles latérales
57. Vue du complexe de l'église en gothique tardif Sainte Croix, construite en 1444–1498, avec son clocher Renaissance de 1586–1591 et avec son presbytère
58. En 1991 on a revécu la tradition des artisanats populaires à Kežmarok
59. Fonts baptismaux moulés gothiques de 1472 avec un couvercle baroque en cuivre sont parmi les pièces les plus précieuses de l'église Sainte Croix à Kežmarok
60. La vue de la nef de l'église Sainte Croix donne une impression monumentale. On voit sa voûte gothique en étoile et ses orgues baroques
61. Intérieur de l'église articulaire en bois bâtie à Kežmarok en 1717 par le constructeur Juraj Müttermann, classée monument culturel national
62. Eglise évangélique construite en style néobyzantin en 1879–1892 selon les projets de l'architecte viennois Theofil von Hausen
63. La château de Kežmarok à l'origine édifice gothique tardif des 14e–15e siècles. Sa reconstruction en style Renaissance date de la fin du 16e s. et de 1624. La dernière des reconstructions fut réalisée après 1945. Il connut plusieurs propriétaires au cours des siècles. Il y avait le siège de la garnison de Jiskra, ses murs not vu Imrich Zápoľský, Stanislav Thurzo et Štefan Thököly gouverner la région. Depuis 1931, le château abrite le Musée de Kežmarok
64. Exposition de la corporation des cordonniers
65. Exposition d'armes historiques des 17e–19e siècles
66. Plan monumental illustré de la région du pied des Tatras et carte plastique des Hautes Tatras au Musée de Kežmarok
67. Meubles de la salle du conseil municipal exposés au Musée de Kežmarok
68. L'intérieur de la chapelle du château en style premier baroque de 1658
69. Chapelle du château, vue de la cour
70. Au lycée de Kežmarok, réputé dans toute l'ancienne Autriche-Hongrie, ont fait leurs études d'éminents patriotes slovaques. Sa bibliothèque compte un nombre élevé de livres rares
71. Détail de la façade du lycée de Kežmarok, lequel a été classé, y compris sa bibliothèque, monument culturel national
72. La cour d'honneur du château de Strážky
73. Le château Renaissance de Strážky, construit dans les années 1570–1590, classé monument culturel national. Après sa récente reconstruction, il abrite une section détachée de la Galerie nationale slovaque de Bratislava
74. Sainte-Anne, église gothique catholique romaine à une nef à Strážky, est connue pour ses fresques et ses autels à ailes gothiques
75. Le clocher Renaissance de 1624 à Strážky
76. Le clocher de 1644 à Vrbov est un représentant typique de la Renaissance de Spiš. La colonne mariale date des années 1724–1730
77. Spišská Belá est une des villes historiques de Spiš. Née d'une commune primitive slovaque, elle est attestée pour la première fois dans des actes datant de 1263
78. La colonne mariale baroque de l'immaculée de 1729
79. Vue de l'une des expositions du Musée Petzval à Spišská Belá
80. Les édifices dominant Spišská Belá sont l'église Saint-Antoine l'Ermite et la maison natal de Jozef Maxmilián Petzval, physicien et mathématicien aux services de l'université de Vienne, pionnier de l'optique photographique moderne. Un musée de l'optique et de la technique photographiques se trouve aujourd'hui dans sa maison natale
81. Buste de Jozef Maxmilián Petzval (6. 1. 1807–17. 9. 1891) devant sa maison natale
82. L'objectif photographique original à grande luminosité construit d'après les calculs de Petzval et placé dans la chambre métallique fabriquée par l'opticien Voigtländer
83. Svit est le plus grand centre industriel de la région du pied des Tatras. Les industries chimique, de constructions mécaniques et de bonneterie y sont concentrées. La ville fut fondée en 1934. C'est à cette époque-là que la maison Baťa commença la construction de la ville et des usines
84. „La maison sociale" a été construite par le fabriquant Bata Du commencement, elle sert à l'activité culturelle et sociale
85. L' hotel „Lopušná dolina" de trois kilometres de Svit, dans cadre naturel merveilleux. Avec les téléskis de deux directions, les visiteurs y ont les conditions idéales pour le repos
86. L' église catholique romaine, sacré à Saint Joseph, a été construite en un tepms record
87. L' intérieur de l'église catholique romaine à Svit
88. La station météorologique à Gánovce est une institution dont dépend le bon fonctionnement de toute une série de secteurs industriels et agricoles, du transport, etc.
89. Dans le laboratorie météorologique central on analyse les cartes synoptiques pour formuler les prévisions du temps
90. Lancement d'un ballon avec une sonde météorologique à Gánovce
91. Au pied sud des Hautes Tatras, dans la partie ouest de la cuvette de Poprad, se trouve la commune de Mengusovce. Elle est attestée pour la première fois en 1398. Ses habitants furent connus jadis comme fabricants d'auges; aujourd'hui, l'élevage et l'industrie laitière y sont développés
92. Les pommes de terre prospèrent dans le climat rude régnant sous les Tatras. Vue des champs de la Station de recherche sur les pommes de terre à Veľká Lomnica
93. Même la fleur de pomme de terre a sa poésie . . .
94. Les épis de blé mûrissent sous les géants des Tatras
95. L'automne sur les pentes de Spišská Magura
96.–101. L'élevage de brebis est répandu aujourd'hui dans toute la région sous les Tatras. Le son des cloches des brebis dans les pâturages accompagne vos promenades dans chaque vallée. A première vue idyllique, en réalité l'élevage de brebis nécessite des hommes durs et un travail assidu. Voici une journée au refuge de bergers à Liptovská Teplička
102.–106. Pendant de longs siècles, depuis les époques les plus lointaines de l'humanité, l'homme et les animaux se sont rapprochés
107. Peu avant le printemps à Liptovská Teplička, commune typique au pied du Kráľova hoľa. Elle fut fondée par les colons venus des montagnes de Horná Orava. Elle est mentionée pour la première fois en 1634
108. Après les abattages d'hiver des cochons, la Liptovská Teplička entière sent bon la viande fumée dans les fumoirs domestiques
109.,110. Nulle part en Slovaquie vous ne trouverez des caves creusées dans le sol comme il y en a à Liptovská Teplička. Elles servent surtout à la conservation de pommes de terre pendant l'hiver. Aujourd'hui, elles sont classées comme autant de monuments protégés
111.,112. Le défilé de Morana, l'"enlèvement de la mort". Coutume très ancienne, de tradition remontant aux temps païens, que l'on peut voir aujourd'hui représentée par le groupe folklorique de Liptovská Teplička. Les jeunes filles, chantant et criant des adages populaires, portent tout d'abord Morana – figurine de paille vêtue d'un costume national – à travers tout le village pour à la fin la brûler, déjà dévêtue, et la jeter au ruisseau. C'est ainsi que symboliquement se termine le règne de l'hiver
113.,114. Les jeunes filles de Batizovce accueillent les Pâques en costumes solennels. Les oeufs de Pâques du pays, gravés, sont parmi les plus beaux de Slovaquie
115. Des prés fleuris de printemps, on regarde les communes sous les Tatras – Šuňava, Štrba et Tatranská Štrba. Celle-ci est la plus haute commune de Slovaquie (1 112 m)
116. Joueur de chalumeau de Štrba
117. Jeunes filles et femmes de Štrba en costumes solennels
118. La première mention historique de Štrba date de 1280. La commune est située au pied sud des Tatras, à la limite des cuvettes de Poprad et de Liptov, dans la zone où les rivières Poprad et Váh ont leurs sources
119. L'architecture des édifices de l'école fondamentale de Tatranská Štrba s'harmonise bien avec la nature environnante. C'est l'école la plus haute en altitude de Tchéco-Slovaquie
120. Plaque commémorative à Martin Benka, artiste national, apposée sur la maison N° 566 à Štrba. Créée par Imrich Svitana, sculpteur académique, elle fut inaugurée à l'occasion du centenaire de la naissance de l'artiste
121. Le nouvel hôtel de ville de Štrba construit en style typique de l'architecture des Tatras
122. Štrba sous une couverture de neige
123. Pendant les fêtes de Noël à Štrba, les acteurs de la crèche vivante vont de maison en maison et présentent une pièce pastorale en vers. Une bonne maîtresse de maison les applaudit et les récompense. De nos jours, cette coutume est représentée par les garçons de l'ensemble folklorique Štrbianček
124. Costume régional de vieilles femmes de Štrba
125.–128. Pendant le carnaval de Batizovce, tout le village est mobilisé. Un défilé de masques comprenant un homme de paille, un gros ventru, des forgerons, des ramasseuses d'oeufs, un accordéoniste et des chanteurs du groupe folklorique local, passe dans les rues. Dans chaque maison, on laisse un petit souvenir – ce sont le plus souvent les joues noircies des jeunes filles hautes en couleur. Ce sont les forgerons avec les mains enduites de cambouis qui en sont responsables. Les ramasseuse d'oeufs, quant à elles, "visitent" chaque poulailler et ramassent tous les oeufs frais pondus. Pour avoir bien chanté, tout le défilé se voit récompensé d'un verre d'eau-de-vie et d un morceau de lard, d'une saucisse ou bien d'un gâteau, et l'on continue . . .
129. Sur le fond des Hautes Tatras pittoresques, dans la vallée du Biely Váh, se présente à vous le village de Važec dans toute sa beauté. Il est né au 13e s Ses habitants s'occupaient dans le passé d'élevage de bovins et de moutons, d'exploitations forestières, de vente de bois et de produits sciés (de bardeaux, par exemple), ils étaient charretiers et conducteurs de radeaux. Un incendie en 1931. dans lequel brûlèrent presque toutes les maisons, marque un événement tragique dans l'histoire de la commune . . . Aujourd'hui c'est une commune récemment bâtie, de belle apparence, et qui présente même un intérêt ethnographique. Ján Hála (1890–1959) – le peintre des Tatras – y travaillait. Dans les proches environs, dans le sous-sol, se trouve la grotte à stalactites et stalagmites de Važec dont la beauté attire chaque année des milliers de visiteurs

Le Kriváň symbolique – le premier de gauche dans le panorama des Hautes Tatras – semble être leur plus haut sommet dans cette perspective. Mais il ne s agit que d'une illusion d'optique
130. Ján Hála: Blanchiment de la toile, 1944, huile, 100 × 120 cm, collection de la Galerie des Tatras à Poprad
131. Ján Hála: Avec un enfant, 1953, huile, 80 × 100,5 cm, collection de la Galerie des Tatras à Poprad
132.–138. Un festival prestigieux de groupes folkloriques de toutes les régions de Slovaquie se tient régulièrement depuis 1953 à Východná. On y invite également des groupes folkloriques de Bohème, de Moravie, de Silésie et même de l'étranger. Au cours du festival, le village est orné solennellement: aux fenêtres des maisons, on expose des

produits d'artisanat populaire dus aux habiles maîtres locaux. Le festival folklorique commence par un défilé à travers le village où un groupe essaie de couvrir le son de l'autre, les acteurs et les spectateurs s'amusent gaiement. Tout le monde se dirige vers l'amphithéâtre orné de sculptures populaires en bois et placé dans la partie supérieure du village, pour se divertir pendant deux jours en présence de leur grand amour – le folklore . . . Et il est bon que les usages de nos ancêtres ne disparaissent pas. . .

139.–141. D'une profondeur atteignant presque 1 km, sort à la surface l'eau thermale de 56–65 degrés Celsius, non loin de la commune de Vrbov. Depuis 1981, on y a fait un complexe de 6 piscines servant aux cures et à la détente. Durant les mois d'été, les piscines sont assiégées de milliers de visiteurs. L'eau thermale a des effets bénéfiques surtout sur les organes moteurs

142. A Poprad également on a la possibilité de savourer à grandes gorgées les plaisirs du bref été de dessous les Tatras

143., 144. Nous vous présentons les deux arbres les plus hauts du pied des Tatras: le sapin blanc – le roi des Basses Tatras – a 41 m et au niveau de la poitrine d'homme sa circonférence est de 436 cm. Vous le trouverez dans la vallée Kubíčkova dolina non loin de la maison forestière sur la route de Šuňava à Liptovská Teplička. Ce tilleul dont l'âge est estimé à 600 ans, est probablement le plus haut de Slovaquie. La circonférence du tronc au niveau de la poitrine est de 745 cm; il a dans les 20 m. Il se trouve près de la métairie Pustovec non loin de la commune de Toporec

145. La cuvette du Hornád est une partie intéressante de la région du pied des Tatras. Elle est bordée au nord par le Kozí chrbát (le Dos de chèvre) et au sud par les Basses Tatras. Le sommet du Jedlinská en offre une belle vue

146. Un vieil atelier de forgeron à Kravany

147. Greniers en poutres à Vikartovce

148. L'église catholique romaine de Spišské Bystré, primitivement gothique, modifiée plus tard en style néo-gothique

149. Spišské Bystré, mentionné pour la première fois en 1294 et connu jusqu'en 1948 sous le nom de Kubachy

150. La cuvette du Hornád vue de Hranovnica. Au fond le Kozí chrbát (le Dos de chèvre) et derrière lui les Hautes Tatras

151. Vue de la commune de Vikartovce

152. Sur la route de Hranovnica à Poprad on longe Kvetnica. C'est au milieu des forêts d'épicéas dans les années 90 du siècle passé qu'on y a bâti un sanatorium pour traiter les maladies de l'appareil respiratoire. L'édifice central après rénovation

153. A la limite des Basses Tatras et des Monts métallifères slovaques se présente Vernár dont l'année de naissance est 1295. A partir du 16^{e}s. il a appartenu aux seigneurs de Muráň

154. Un petit lac dans le complexe du sanatorium de Kvetnica. C'est un oasis de silence et d'air pur favorisant le traitement médical

155.–157. Il n'y a pas de village ou de bourg sous les Tatras où ne reviennent au printemps ces hôtes particulièrement chères – les cigognes. Elles aiment nicher sur les cheminées vieilles et neuves tout en ignorant en général les endroits pour nicher que préparent à leur intention les protecteurs dévoués de la nature. Il en est ainsi également dans la commune de Mlynica. En automne, au moment de la migration en Afrique, on tient aux champs une grande assemblée et après on s'envole ensemble . . .

158. Peu après, les premières gelées arrivent, le givre apparaît sur les arbres et les champs sous les Tatras deviennent orphelins . . .

159. De plus en plus de skieurs se plaisent à faire du ski sur les pentes de Liptovská Teplička

160. Il en est de même dans le centre de ski à Vernár. Cela permet de décharger les stations d'hiver trop fréquentées dans les Hautes Tatras

161., 162. La poésie de l'hiver sous le Kráľova hoľa

163. Une merveilleuse soirée d'hiver dans la deuxième cour de Červený Kláštor (Monastère rouge), monument culturel national important, situé dans les Pieniny, au bord de la rivière Dunajec

164. Le réfectoire avec les nervures entrecroisées de la voûte gothique du 16e siècle

165. Exposition archéologique dans la maisonette du prieur évoque la plus vieille histoire de Červený Kláštor

166. Portrait d'un moine camaldule, peinture sur un banc de l'église chartreuse de Červený Kláštor

167. L'exposition d'art sacré

168. L'exposition pharmaceutique dans une maisonette de moine fait connaître aux visiteurs les techniques moyenâgeuses de guérison qui avaient recours surtout aux effets bénéfiques des plantes médicales sur l'organisme humain. C'est ici que travaillait le moine Cyprien, botanicien, pharmacien et guérisseur, auteur d'un herbier de plantes médicales

169. Son joli cadre naturel et son histoire intéressante attirent toujours des milliers de visiteurs à Červený Kláštor

170., 171. Les travailleurs du Musée de Poprad réalisent tous les ans des expositions intéressantes dans la cour de Červený Kláštor. En 1988, ce fut l'exposition d'épouvantails de champs, en 1989 celle de ruches

172. Červený Kláštor vu du sud

173. La maisonette du prieur et le puits du couvent dans la troisième cour

174. La maisonette de moine où vivait le moine Cyprien

175. Les Tri Koruny (Trois Couronnes) créent une coulisse carrément féerique pour Červený Kláštor. Celles-ci se trouvent cependant sur le territoire de la Pologne, de l'autre côté du Dunajec

176.–183. Les fêtes folkloriques de Zamagurie sont la plus grande fête culturelle de toute la région de Zamagurie. L'amphithéâtre sous les Trois Couronnes se ranime de chansons montagnardes, de coutumes populaires et d'humour. Solistes, ensembles d'enfants et ensembles d'adultes présentent ce qu'il y a de plus beau parmi les trésors d'art populaire, conservés des siècles durant dans de basses maisons en bois, jadis très pauvres, de cette contrée appelée également le Spiš du Nord

184. La perle de Zamagurie – la gorge de la rivière de Dunajec – offre aux touristes une aventure rare: la déscente de la rivière sur radeaux de Červený Kláštor à Lesnica sur 7 km. C'est en même temps la manière la plus commode de passer en revue les décors du Parc national de Pieniny

185. Conducteurs de radeaux dans les rapides du Dunajec sous les Sedem mníchov (les Sept moines)

186. La plante la plus rare du Parc national de Pieniny est l'endémite chrysanthème de Zawadzki *(Chrysanthemum zawadskii)*. Elle n'apparaît nulle part ailleurs que dans les Pieniny et l'Oural

187. Quand l'alysse saxatile *(Alyssum saxadile)* se met à fleurir au printemps, toutes les roches grises de la gorge du Dunajec se parent de couleur jaune

188. Le slalom international de Pieniny attire chaque année d'éminents représentants de ce sport de toute l'Europe dans les rapides du Dunajec. Dušan Benický, son fondateur en 1954, est aujourd'hui un personnage légendaire de Zamagurie

189. La ville de Spišská Stará Ves, mentionnée dans les actes historiques pour la première fois en 1326, est le centre de Zamagurie. Aujourd'hui, les industries textiles et de construction mécanique s'y développent. La ville est un point de départ pour les excursions touristiques dans le Parc national de Pieniny

190. La façade de l'église catholique romaine de l'Ascension de la Vierge Marie à Spišská Stará Ves. Primitivement gothique et datant de la 2e moitié du 14e siècle, elle fut remodelée en style baroque en 1772

191. Un bas-relief en pierre sur le mur sud de l'église à Spišská Stará Ves

192. Spišské Hanušovce

193., 194. La commune de Zálesie fut connue au 17e s. comme métairie des seigneurs de Nedec. Elle est bien cachée par les forêts de Zamagurie et même de nos jours la vie n'y est pas facile

195., 196. Les beautés de la nature en automne

197. Osturňa est une localité classée monument de l'architecture populaire. On commencera notre promenade par la partie supérieure

198., 199. La préparation d'un stock de bois pour l'hiver est une activité des plus importantes

200. Dans la cour d'une ferme commencent les préparatifs qui assureront la récolte dans les champs étroits de montagne

201. Jeunes filles d'Osturňa en costumes populaires solennels aux parements typiques des manches rouges et blancs posent devant la maison N° 112

202.–207. La fenêtre est comme un oeil qui se pose sur le monde. Si petit qu'il soit, le monde d'Osturňa est le plus beau pour ses habitants

208. Solitude d'automne à Osturňa

209. Les Hautes Tatras et les Belianske Tatras vues de Spišská Magura

210. Derniers attouchements de l'automne sous les Tatras

211. Ždiar constitue le plus grand centre protégé d'architecture populaire dans les Tatras. Il s'étend sur 7 km le long des Belianske Tatras dans le proche voisinage de Spišská Magura. La commune fut fondée au 15e s., au temps de la colonisation valaque. La première mention écrite l'atteste en 1409 et elle appartenait jadis aux seigneurs de Lendak. De nos jours, de nombreux touristes la visitent pour admirer surtout l'architecture populaire, les costumes nationaux et le style de vie si particulier. Maints touristes profitent volontiers de l'occasion et s'hébergent dans des maisons en bois. Les environs de Ždiar offrent des possibilités sans nombre pour faire du tourisme et en hiver c'est carrément un paradis pour les amateurs de ski, surtout dans les stations de Pod Príslopom et dans la vallée Bachledova dolina

212. La couverture d'un puits à Ždiar

213. L'hiver est arrivé trop tôt . . .

214. Javorina est la dernière commune sur la route de Lysá Poľana où se trouve le passage frontalier avec la Pologne

215. Recoin de la cour d'une ferme à Ždiar

216. Nature morte d'hiver à Lendak

217. Les pentes du centre d'hiver desservies par un télésiège à trois places TATRAPOMA dans la vallée Bachledova dolina et le panorama des Belianske Tatras

218. L'un des aspects de Ždiar les plus souvent photographiés dans sa robe de premier printemps. La maison à poutres et les bâtiments agricoles forment une cour fermée typique en forme d'atrium. Les joints en bleu des poutres contrastent avec la patine du bois et des bardeaux

219. Intérieur d'une chambre à Ždiar

220. Fenêtre d'une maison en bois à Ždiar aux ornements locaux typiques

221.–224. N'oublions pas de visiter la grotte Belianska jaskyňa dans la cuvette des Tatras. C'est la seule grotte à stalactites et à stalagmites dans le Parc national des Tatras. Des chercheurs de trésors en or furent les premiers à la découvrir. La plus vieille inscription sur la paroi de la Salle des chanteurs date de 1718. La longueur totale de ses couloirs découverts est de 1752 m, l'entrée de la grotte se trouve à l'altitude de 885 m. Elle fut ouverte au public le 6 août 1882 et munie d'un éclairage électrique le 29 novembre 1896 parmi les premières grottes du monde entier

225., 226. Une journée de pluie dans la cuvette des Tatras

227. Prés au pied des montagnes

(228.–231.) Portons à présent notre attention sur les rivières slovaques prenant leur source dans la région du pied des Tatras:

228. Le Biely Váh n'a pas de source – c'est un confluent de ruisseaux Zlomiskový potok et Furkotský potok sous le Chemin de la liberté. Dans son cours supérieur elle se fraie un chemin à travers les forêts denses de Tatras

229. La Poprad naît également d'un confluent des ruisseaux Hincov potok et potok Krupa qui s'écoule du lac Popradské pleso. Nous voyons ses premiers mètres dans le val Mengusovská dolina

230. L'eau de cristal sortant d'un tuyau de bois est la source du Hornád. On la trouve dans la chaîne des Basses Tatras, non loin de la route allant de Vikartovce à Liptovská Teplička

231. Le Čierny Váh (le Váh noir), prenant sa source sous le mont légendaire de Kráľova hoľa, serpente comme un ruban d'argent à travers les prés fleuris pour abreuver de ses eaux, quelques kilomètres plus loin, une centrale hydro-électrique produisant de l'énergie électrique écologiquement pure. A partir de Kráľova Lehota, il s'unit au Biely Váh (le Váh blanc) pour former la plus grande rivière slovaque – le Váh.

(232.–241.) Peu de régions de notre patrie peuvent se vanter d'un réseau de moyens de transport aussi variés que celui qu'on trouve dans les Hautes Tatras et les environs: Poprad, porte d'accès à notre ensemble montagneux le plus élevé et cependant le plus bas du monde entier, est accessible en avion, en chemin de fer, en car ou en voiture. Dans les Tatras elles-mêmes, prédomine le chemin de fer électrique sur les lignes de Poprad à Starý Smokovec et de là à Štrbské pleso et à Tatranská Lomnica. Dans les zones supérieures des Tatras on rencontre des moyens de transport spéciaux se déplaçant sur terre ou par air. Les autorités compétentes s'efforcent d'exclure l'utilisation dans les Tatras de véhicules à moteurs à combustion qui représentent la plus grande source de pollution de l'air. On verra dans l'avenir si elles y réussissent

232. Une matinée au-dessus des nuages au lac Skalnaté Pleso

233. En route de Veľká à Tatranská Lomnica

234. Le funiculaire de Starý Smokovec à Hrebienok

235. Le chemin de fer à crémaillère de Štrba à Štrbské Pleso

236. Le terminus du téléférique à Solisko

237. Le chemin de fer électrique de Poprad à Starý Smokovec

238. Le télésiège de Skalnaté Pleso à Lomnické sedlo

239. Le téléférique de Lomnický štít. A l'arrière-plan, l'observatiore de l'Académie slovaqué des sciences à Skalnaté Pleso
240. L'autocar devant l'hôtel Bellevue
241. Le nouveau et le vieux téléférique de Tatranská Lomnica à Skalnaté Pleso
242. Štrbské Pleso est un des centres touristiques les plus fréquentés des Hautes Tatras. Il est situé à l'altitude de 1 350 m au milieu de la scène inimitable des pics des Tatras. Durant les mois d'été, c'est le point de départ d'excursions touristiques dans les vallées environnantes et d'ascensions des pics. Durant les mois d'hiver, on peut y pratiquer différentes disciplines sur ski en amateur et organiser également des compétitions de haut niveau de ski classique dans l'Aire des rêves. L'ensemble des établissements de cure Helios, Hviezdoslav et Končistá aide à rendre la santé aux curistes souffrant de maladies des voies respiratoires. Plusieurs hôtels, parmi lesquels il convient de citer Patria, Panoráma et FIS, servent à héberger les visiteurs
243. La gentiane printanière (Gentiana verna)
244. La campanule minuscule (Campanula pusilla)
245. Le pin des montagnes en fleurs
246. Le restaurant ensoleillé de l'hôtel Patria se distingue par le haut niveau artistique de son intérieur et par ses gourmandises
247. Spécialités hongroises présentées à l'hôtel Patria par des cuisiniers venus de Budapest
248. Plats de la cuisine slovaque au restaurant Slovenka de l'hôtel Patria
249. Une soirée agréable au luxueux Vatra-bar de l'hôtel Patria
250. La piscine de l'hôtel Patria offre une relaxation
251. Le centre commercial de Starý Smokovec
252. Le Grand hôtel de Starý Smokovec, placé sous le vaste mont de Slavkovský štít, est parmi les plus vieux hôtels des Tatras. Il fut construit en 1904 selon les projets de l'architecte C. Hoepfner
253. A la terrasse de l'hôtel Park à Nový Smokovec
254. L'hôtel Park à Nový Smokovec, remarquable par la forme ronde de sa partie chambres
255. Le Grand hôtel Praha à Tatranská Lomnica
256. Dans la Cabane des brigands près du Grand hôtel Praha. On y sert du bon vin et des spécialités de brigands
257. Les amateurs de caravaning peuvent passer leurs vacances dans l'Eurocamp FICC à Tatranská Lomnica
258. L'hôtel Kriváň à Podbanské est un oasis de silence au milieu des forêts
259. Les vacances d'été dans la Station de jeunes touristes à Tatranské Mlynčeky
260., 261. Centre moderne de repos construit à Stará Lesná par l'entreprise Vagónka de Poprad Il est à présent propriété de la Caisse d'épargne slovaque et porte le nom d'Horizont
262. La construction du centre moderne de repos METALURG à Tatranské Matliare fut financée par les usines métallurgiques Východoslovenské železiarne
263. Centre de repos PERMON à Podbanské servant aux mineurs d'Ostrava
264. Le centre de repos MORAVA construit à Tatranská Lomnica selon les projets de l'architecte B. Fuchs date de 1932. Il fut primitivement propriété de la compagnie d'assurances de Brno
(265.–269.) L'influence favorable du cadre montagnard sur la santé humaine donna son impulsion à la construction de toute une série d'établissements des soins médicaux dans les Hautes Tatras. Leur vocation est de rendre la santé surtout aux patients atteints de maladies des voies respiratoires
265. Façade de la Maison des soins des troubles respiratoires à Nový Smokovec, construite en 1915–1925
266. Sanatorium de Vyšné Hágy
267. Sanatorium Hviezdoslav à Štrbské Pleso
268. Sanatorium Helios à Štrbské Pleso
269. Sanatorium Európa à Nový Smokovec, construit en 1894, un hôtel à l'origine
(270.–274.) L'Aire des rêves – ainsi s'appelle le complexe de tremplins de saut et de pistes de course à Štrbské Pleso. Il entra dans l'histoire en 1970 où l'on y a organisé les Championnats du monde de ski classique. Depuis, toute une série d'épreuves sportives de haut niveau y furent organisées et la haute renommée de leurs organisateurs hospitaliers se répand dans le monde entier
270. Entre la terre et le ciel
271. Luttes sur les pistes de course pour emporter la Coupe des Tatras en 1985
272. Une vue nocturne inhabituelle de l'Aire des rêves
273. Un programme folklorique dans l'Aire des rêves
274. La cérémonie d'ouverture de la XIIIᵉ Universiade d'hiver en 1987 culminait avec l'allumage de la flamme olympique
275. Les amateurs de ski de descente trouvent dans le col Lomnické sedlo des terrains répondant aux critères les plus exigeants. Le Grand prix de Slovaquie de slalom géant, épreuve avec participation internationale, y a lieu régulièrement
276. L'aire de ski à Hrebienok devient également témoin d'épreuves de slalom spécial au niveau mondial
277.–279. Pour fêter la fin de la saison de ski dans les Tatras, les employés des hôtels et du secteur touristique et leurs invités organisent un carnaval. Après la descente des masques de Hrebienok, il y a un bal devant le Grand hôtel à Starý Smokovec où, à une heure tardive, un Grand prix est décerné au plus beau masque
280. Sur le cime du Lomnický štít (2632 m), on termina de construire en 1940 le terminus du téléférique. Il est joint aux bâtiments de l'observatoire météorologique. Les chercheurs y étudient la couronne solaire et les radiations cosmiques. Cette scène fut prise à la température de -27 °C
281. M. Marián Rajčan, l'un des météorologues qui sont depuis le plus longtemps en fonction dans les Tatras, à son travail au poste le plus élevé de notre patrie

282. Le pic de Kežmarský štít (2558 m) et les Belianske Tatras vus du pic de Lomnický štít
283. Le désir de monter le plus haut possible attire les gens depuis toujours. Ce ne sont cependant que des alpinistes qui peuvent réaliser ces aspirations – les alpinistes. L'ascension de la pointe Ihla de l'Ostrva est parmi les moins difficiles
284. L'ascension en cordée d'une paroi extrêmement difficile
285. Les montagnes sont non seulement belles, mais aussi traîtresses. Il suffit d'une imprudence ou d'une sous-estimation des conditions climatiques et des tragédies surviennent. C'est alors le tour des travailleurs du secours en montagnes qui entreprennent aussitôt une action de sauvetage pour essayer de sauver ce qu'il y a de plus précieux – la vie humaine. Leur travail est facilité, en partie au moins, par la technique moderne, dernièrement même par un hélicoptère
286. Un moment de repos et de rangement de l'équipement alpiniste
287.–291. Si vous visitez le lac Popradské pleso, n'oubliez pas de rendre hommage à ceux qui ont aimé pardessus tout les montagnes et à qui celles-ci ont réservé un destin tragique. Sous les pentes d'Ostrva, on a créé un Cimetière symbolique sur la proposition de Otakar Štáfl, peintre académique et grant admirateur des Tatras. Au coeur du cimetière il y a une chapelle de piété entourée de plaques portant les noms de victimes non seulement des Tatras, mais aussi d'autres montagnes. Parmi ces noms il y a celui ce l'ami „Juzek" Psotka, mort au cours de la descente du mont Everest. Les croix en bois sont oeuvres du sculpteur populaire sur bois Jozef Fekiač-Šumný
292. Une soirée d'été dans la vallée Mengusovská dolina, près du lac Popradské pleso
293. Seul celui qui se sera mis en route avant le petit jour, pourra se délecter des beautés de la crête des Bašty éclairée par le soleil levant et reflétée par les lacs Žabie plesá
294. En cours de route vers les Rysy, on passe à côté du chalet le plus haut placé des Tatras – le chalet dans le col du Váh (2250 m)
295. La gentiane glaciaire peut fleurir même dans de rudes conditions climatiques des hautes montagnes
296. Les pics Český štít, Rysy et Mengusovské štíty vus de la cime du Vysoká
297. La vue de la vallée Česká dolina, du Ganex et du panorama des Tatras dans la perspective est, telle que nous l'offre la pente des Rysy
298. En montant sur le Kôprovský štít, on admirera la vue du plus grand lac dans la partie slovaque des Hautes Tatras – le lac Hincovo pleso d'une étendue de 20,08 ha
299. Le Kôprovský štít nous ouvre la vue sur la vallée Temnosmrečinská dolina et les Tatras de l'Ouest
300. Au-dessus de la vallée Kôprovská dolina se dresse fièrement le Kriváň (2494 m) – le mont entouré de légendes et plein de symboles pour les Slovaques
301. La marmotte latirostre (Marmota marmota latirostris)
302. L'aigle royal (Aquila chrysaetos Tatrica)
303. Le chamois tatrique (Rupicapra rupicapra tatrica)
304. Le premier gel fit naître, comme d'un coup de baguette magique, une atmosphère bien particulière près du lac au-dessus de la chute d'eau de Skok
305. Retour d'une randonnée en montagnes
306. Bien que l'automne règne toujours dans les vallées, sur les crêtes des Tatras c'est déjà l'hiver qui s'empare du sceptre. On regarde l'un des plus beaux sommets – le majestueux Vysoká (2560 m), Les pics Český štít et Kôpky
307.–309. Natures mortes d'automne et d'hiver dans les Tatras
310. La chute d'eau de Skok dans la vallée Mlynická dolina, très visitée par les touristes
311. Chute d'eau dans la vallée des lacs Žabie plesá
312. La vallée Velická dolina et les Granátové veže vues du lac Velické pleso près de l'hôtel de montagne Sliezsky dom
313. Les rayons chauds du soleil se fraient un chemin à travers les nuages denses . . .
314. L'eau et la fleur (le safran de Heuffel – Crocus scepuciensis)
315. Le chalet Téryho chata vu du lac central Spišské pleso. A l'arrière-plan dominent les buts fréquents des ascensions alpinistes – le pic Prostredný hrot (2440 m) et la paroi Žltá stena, l'une des plus difficiles dans les Hautes Tatras
316. Le lac Modré pleso (Lac bleu) dans la vallée Pod Sedielkom est le lac le plus haut des Hautes Tatras (2157 m)
317. En montant la vallée Červená dolina, on découvre la vue de la vallée du lac Zelené pleso (Lac vert) avec le pic Pyšný štít (2623 m)
318. Le chalet Brnčalova chata près du lac Zelené pleso est l'abri des alpinistes. Au-dessus du chalet, le mont Jastrabia veža
319. Le pied-de-lion (Leontopodium alpinum Cass.), l'une des fleurs les plus rares des Hautes Tatras
320. La gentiane ponctuée (Gentiana punctata)
321. La vallée Bielovodská dolina en robe de printemps est parmi les plus recherchées dans les Tatras du Nord
322. Le trolle européen
323. La primevère basse (Primula minima)
324. La soldanelle carpathique (Soldanella carpatica)
325. Sempervivum des montagnes (Sempervivum montanum)
326. Les Belianske Tatras aux derniers rayons du soleil couchant

Couverture I:
Sur les prés de montagne dans les Hautes Tatras
Les danseurs de l'ensemble folklorique Magura sont habillés en costume national „goral"

Couverture II:
Le mont majestueux Gerlachovský štít (2 655 m) – le plus haut sommet de la Slovaquie. Vue du Východná Vyscká. La gentiane de Clusi (Gentiana clusii)

РЕЗЮМЕ

КРАЙ ПОД ТАТРАМИ

Наше путешествие по территории Края под Татрами, представленного нам 333-мя фотографиями этой великолепной книги, пройдёт по землям северо-восточной Словакии. Можно более точно определить маршрут путешествия до границ горного Липтова и северного Спиша. Короче говоря – вместе будем любоваться необычайной и неповторимой красотой Высоких Татр и областей к ним прилегающих.

КРАЙ ПОД ТАТРАМИ

Край, являющийся вечным символом Словакии, край суровый по климатическим условиям, но и одновременно прекрасный, край, воспетый во многих повестях и легендах, край, наполненный дурманящей красотой и творческой силой, которая здесь сформировалась за столетия в несметное богатство. Невозможно рассказать и показать всё, невозможно отметить и все перемены в жизни, которые здесь произошли за время от эпохи древнего мира и до настоящего времени. Эти символические фотографии представляют результаты деятельности предшествующих поколений, если эти результаты деятельности сохранились до наших дней, продолжающих их традиции.

КРАЙ ПОД ТАТРАМИ

Никакой другой край в Словакии не был наделён таким богатством и разнообразием природных условий, какими отличаются области Попрадской и Горнадской котловин и Спишской Магуры. Широкая дуга разноцветного ковра этого края пронизана видимыми и невидимыми красотами форм и красок обильных полей и лугов, земли которых освежают многочисленные реки, речки, ручейки. На звездном небе края сияет плеяда звезд первой величины. Сияют до самых отдаленных уголков горного Липтова и Замагурия, которые всегда были домом для трудолюбивых и честных людей, творцов своеобразного народного искусства.

Благодаря археологам и историкам сегодня можем с гордостью сказать, что хотя жизнь и труд людей пд Татрами были на первый взгляд однообразными, несмотря на это, люди оставили после себя творения материальной и духовной культуры неисчислительной ценности. Первые шаги в заселении этого края оставил нам человек неандертальского типа уже 112 лет назад, жил этот человек около теплых источников, которых было много в известковом туфе этого края, например, в Гановцах. И так, как зимы сменяли лето, так одно поколение сменяло другое, менялся и образ жизни подтатранского населения. К аборигенам славянского происхождения присоединялись немцы-колониалисты, которые труд земледельцев обогатили навыками производства изделий различных ремёсел. Небывалый подъем в развитии этого края происходит с 13 века. Деревянные срубы и избы заменяются каменными домами, возникают ряд новых городов и поселков, доминантой которых становятся костёлы, монастыри и крепости. Многие из них становятся центрами мануфактурного производства и торговли. Мастерство строителей того времени заслуживает нашего восхищения и уважения и сегодня.

КРАЙ ПОД ТАТРАМИ

В тысячелетней истории Словакии краю под Высокими Татрами не раз принадлежало решающее слово, и не раз этот край играл в истории важную роль. Местоположение этого края делало его крепостью и защитой для остальных земель Словакии, которые подвергались многочисленным нападениям со стороны других народов. Много раз в этом крае воевали только за само его существование. И хотя внушительный массив Высоких Татр создавал естественную стену на севере, и эта территория не избежала гроз и разорёний войны. Прошли ею татары, позднее гуситы и шведы, и армия всемогущего Наполеона и многие другие. Последние грозы войны отгремели здесь в 1945 году. После этого памятного года перестало здесь бренчать оружие, но произошли события, сегодня для нас совсем не понятные. Этих долгих более чем 40 лет вплоть до 17 ноября 1989 года всесторонне оценит новое поколение.

КРАЙ ПОД ТАТРАМИ

Оставим прошлое плоишому, вернёмся снова в край под Татрами, скалистые утёсы которого издавна влияли на характер его населения. Богатая духовная культура края сохранилась в ряде повестей, песен и мелодий, дополненных народными костюмами и обычаями. С ними встречаемся и сегодня во время различных церковных и гражданских праздников. Хранят их и ансамбли музыкантов и певцов и песенно-хореографические группы. Всё чаще объекты словацкого народного искусства становятся бесценными, и об этом наследии всё чаще пишем в книгах, чтобы оно как можно дольше сохранилось живым. В народном умении края под Татрами, как ни в одном другом в Словакии, найдем одновременно фрагменты народного умения различных этнических регионов. На западе нас приветствуют песнями и обычаями горного Липтова и Горегрония, а передвигаясь краем на восток, их сменяют мелодии Горнадской котловины. Меньше из этой культуры сохранилось в Попрадской котловине, а на северо-востоке с нами расстанутся гордые горалы под Спишской Магурой.

КРАЙ ПОД ТАТРАМИ

Своеобразный край. Притягивает он нас красотой природы, памятниками культуры, но прежде всего людьми, живущими здесь. Людьми последней четверти XX столетия и второго тысячелетия. Потому что прежде всего благодаря им этот край строился и благоустраивался, приобретая современный вид. Художник-фотограф душой чувствует красоту этого края. Именно так создавались фотографии к этой книге. Может быть, они иногда красивее, чем на самом деле. И хотя предшествующие десятилетия не уменьшили красоту этого края, но всё-таки отношение к ней было как отношение мачехи к приёмным детям. Разорялась и опустошалась природа, разрушались ценные исторические объекты и, думаю, только наши потомки смогут оценить все негативные стороны отношения предшественников к окружающему. Человек – поклонник красоты сменился на человека–туриста в самом плохом смысле этого слова. Правда, и среди туристов встречаются поклонники и почитатели красоты нашего края. Большое количество туристических учреждений различного типа и в самих Татрах и в их окрестностях радушно открывают свои двери для туристов. Здесь туристы встретятся с гостеприимными хозяевами, услышат доброе слово. Быстрый темп жизни, моторизация, развитие промышленности и сферы обслуживания и в этом мы не способствовали регенерации, как-то забыли, что не всё старое всегда старо, и оно может расцвести новой красотой. Действительно, забыли мы о мире вокруг нас. Но есть еще много возможностей сохранить ето. Поэтому можем любоваться необычной флорой и фауной Высоких Татр, а после того, как напьемся чистой татранской воды, можем любоваться бесконечно высотой татранских вершин. С этих вершин можем увидеть расположенные внизу долины и взором угадать ту или иную деревеньку. Вся эта неповторимость и исключительность прошлого и настоящего этого края сохранена не только в архивах и музеях, но находится вокруг нас. Уже со времен каменного века этот край притягивал к себе человека, чтобы создать здесь мир полный гармонии и чудес, а это не исчезло в течение тысячелетий.

КРАЙ ПОД ТАТРАМИ

Итак, дорогой читатель, пролистай нашу книгу и полюбуйся красотой, глядящей на тебя с 333-ёх фотографий во всех цветах и красках. Край под Татрами щедр и примет каждого, кто приходит с добрым умыслом.

ТЕКСТЫ К ФОТОГРАФИЯМ

1. Вид на Кралёву Голю с Ломницкого щита через Попрадскую котловину под покровом облаков
2. Общий вид на Попрад, на заднем плане – Высокие Татры
3. Древнейшая история Попрадской котловины начинается от травертиновой горы Градок в Гановцах, известной археологической находкой слепка черепа неандертальца из известкового туфа, относящейся к позднему периоду ледовой эпохи
4. Недалеко от села Велкий Славков находится область Бурих, известная богатыми находками периода неолита, позднего периода эпохи бронзы, галлштатской и позднего периода римской эпох. Славянские находки относятся к 10–12 векам
5. Пилон, находящийся недалеко от села Штрба, напоминает о гибели средневекового поселения Шолдово
6. Над достопримечательностями Попрада возвышается Герлаховский щит, самая высокая точка Высоких Татр, и не только Татр, но и всей Словакии
7. Исторический центр Попрада
8. Звонница эпохи Ренессанса с атикой в виде щита и башня эпохи ранней готики римско-католического костёла св. Егидия, относящиеся к 1220-1230 годам в Попраде
9. Здание музея под Татрами в Попраде, сооруженное в 1886 году
10. Доминантой археологической экспозиции Подтатранского музея являются находки местечка Гановце-Горка
11. Кельтская монета из находок на территории Буриха
12. Шлем кельта
13. Травертиновый слепок головы и мозга неандертальца (реконструкция)
14. Попрад просыпается
(15.–22.) Облик сегодняшнему Попраду придает современная архитектура
15. Здание городского учреждения
16. Универмаг Приор
17. Здание общего кредитного банка, на заднем плане – гостиница Сател и Герлах
18. Дом быта
19. Больница с поликлиникой
20. Магазины и жилые дома на пешеходной зоне
21. Крытый бассейн
22. Зимний стадион
23. Торговой и административный центр города
24. Отель Попрад
25. Попрад – городской участок Велька
26. Готическая дароносица из г. Попрад-Велька
27. Общий вид городского заповедника исторических и культурных памятников в городском участке Спишска Собота
28. Спишска Собота. Когда-то была самостоятельным городом, с 1945 года присоединена к Попраду. С 1950 года объявлена памятником-заповедником. Вид на средневековые мещанские дома
29. Аркир над порталом дома № 41 (эпоха Ренессанса)
30. Памятная доска земли из Спишской Соботы скульптору эпохи барокко Яну Брокоффу, известного созданием скульптур на пражском Карловом мосту, помещена на дом № 27, построенном в 1740 году
31. Гипсовое украшение фасада мещанского дома в Спишской Соботе
32. Зимняя идиллия в городском парке. На переднем плане памятник павшим в революционном 1848 году и в первой мировой войне
33. Барокковый марианский столб 1772 года в Спишской Соботе
34. Римско-католический сначала романский костёл св. Юрая первой половины 13 века, перестроенный в 1464 году в готическом стиле, а в 18 веке перестроенный в стиле барокко. Звонница 1598 года эпохи Ренессанса с барокковой атикой 1728 года. В интерьере костёла размещены сокровищницы готического искусства, которые принадлежат к величайшим ценностям не только Спиша, но и всей Европы. Уникален прежде всего алтарь с резьбой по дереву Мастера Павла из Левочи, относящийся к 1516 году
35. Вид на церковный корабль костёла св. Юрая в Спишской Соботе. На переднем плане группа скульптур 1489 года из цикла голгофа, хождение по мукам
36. Пластика св. Юрая на коне (177×180 см) из главного алтаря
37. Деталь „Последней вечеры“ с главного алтаря
38. Уникальным является и переносный готический алтарь с пластикой распятого Христа 1480–1490 годов
39. Двоекорабельная западная часть костёла св. Юрая в Спишской Соботе с органом эпохи раннего барокко (приблизительно 1770 г.) из мастерской Гросса в Спишской Соботе
40. Интерьер римо-католического костёла Всех Святых в Батизовцах. Первоначально костёл представлял собой сооружение романского стиля 13 века, а в 14 и 15 веках был перестроен в готическом стиле. Барокковые алтари Пречистой Девы Марии, св. Дзима и св. Йозефа относятся к 1764–1967 годам
41. Романский портал – развалины первоначального сооружения костёла Всех Святых в Батизовцах
42. Готическая настенная живопись в костёле Всех Святых в Батизовцах, относящаяся к половине 14 века, изображают коронацию и успение Пречистой Девы Марии
43. Костёл короля Штефана, относящийся к второй половине 13 века, и звонница конца 16 века в Матейовцах
44. Самой ценной реликвией в костёле короля Штефана в Матейовцах является готическая пластика первой половины 14 века (1327 ?) Христос распятый на кресте
45. Интерьер римо-католического романского костёла в Млиници 13 века, перестроенного в 1425–1434 годах в готическом стиле. С исторической точки зрения ценным является главный алтарь св. Маргиты начала 16 века эпохи поздней готики из мастерской Мастера Павла из Левочи. Вправо – боковой алтарь св. Микулаша епископа, относящийся тоже к эпохе поздней готики
46. Ладиславская легенда – настенная живопись эпохи ранней готики в ризнице костёла Катарины Александрийской в Велькой Ломнице – изображает бой св. Ладислава с куманами
47. Романско-готический костёл св. Катарины Александрийской первой половины 13 века в Велькой Ломнице. На заднем плане панорама восточных склонов Высоких Татр
48. Алтарь Пречистой Девы Марии эпохи поздней готики, относящийся к 1493 году, из того же костёла, является выразительным образцом готического искусства
49. Двоекорабельное разделение является типичной чертой готических костёлов на Спиши, как это видим в костёле св. Катарины Александрийской в Велькой Ломнице
50. Осень в Вельком Славкове. Село упоминается уже в 1251 году. Позднее оно было колонизировано немцами, так же, как многие населенные пункты Спиша, потом было зачислено в общество спишских саксов
51. Вид на часть Попрадской котловины, где лежит Кежмарок, в средние века один

из известнейших городов Спиша. Из-за большого числа ценных исторических памятников центр города был объявлен зоной памятника–заповедника. Впервые город Кежмарок упоминается в 1251 году под названием Villa Saxonum Apud Ecclesiam Sancte Elisabeth. Территория же была уже заселена в период неолита и энеолита; богаты археологические находки, которые относятся к старшему и младшему периодам бронзового века, а также к галлштадской эпохе. Существуют доказательства того, что здесь было поселение и в римскую и славянскую эпохи. Название города ученые отводят от наименования немецкой слободы, названной по товару, который больше всего пользовался спросом у покупателей этого региона – сыр (Käse-Markt). Этот вопрос до сих пор не решен и вокруг него ведутся научные споры.

52. Королевская грамота 1463 года, которая подтверждает право свободного королевского города Кежмарка иметь и пользоваться своим гербом

53. На заднем плане Высоких Татр вырисовывается башня ратуши города Кежмарка. Ратуша была построена в 1461 году Юрайом из Спишской Соботы, потом она несколько раз перестраивалась (1541–1553, 1799, 1922, 1967–1970)

54. Оригинальные готико-ренессансные дома мещан с типичными седлообразными крышами на Градной площади в Кежмарке

55. Классическое здание казино 1818 года

56. Архитектуру мещанских домов дополняют арки для перехода в боковые улочки

57. Вид на ареал костёла св. Креста позднеготического стиля, сооруженного в 1444–1498 годах, на звонницу в стиле Ренессанса, относящуюся к 1586–1591 годам, и на приходской дом

58. В 1991 г. возродилась в г. Кежмарок традиция художественного кустарного производства

59. Вылитая из железа купель в готическом стиле, относящаяся к 1472 году, с медной крышкой в стиле барокко относится к самым ценным реликвиям костёла св. Креста в Кежмарке

60. Вид на монументальный, производящий большое впечатление церковный корабль костёла в Кежмарке 1717 года, сооруженного строителем Юрайом Мюттерманном, памятник народной культуры

62. Евангелический костёл, построенный в неовизантийском стиле в 1879–1892 годах по проекту венского архитектора Теофила фон Гансена

63. Кежмарский замок был первоначально позднеготическим сооружением 14–15 веков. В стиле Ренессанса был перестроен в конце 16 века, в 1624 году. Последняя реконструкция замка проводилась в 1945 году. В течение столетия у замка было несколько владельцев. Было это местонахождение гарнизона Искры, с его стен правил краем Имрих Запольский, Станислав Турзо и Штефан Тёкёли, с 1931 года в замке размещен Кежмарский музей

64. Экспозиция обувного цеха

65. Экспозиция исторического оружия 17–19 веков

66. Монументальный иллюстрированный план подтатранской области и пластическая карта Высоких Татр в Кежмарском музее

67. Мебель из залов ратуши в экспозиции Кежмарского музея

68. Интерьер часовни в замке периода раннего барокко 658 года

69. Часовня в замке – вид с надвория

70. В Кежмарском лицее, известном во всей Австро-Венгрии, учились прогрессивные словацкие патриоты. В его библиотеке находится значительное количество ценных книг

71. Деталь крыльца Кежмарского лицея, которое вместе с библиотечным фондом является памятником народной культуры

72. Надворие монастыря в Стражках

73. Монастырь в Стражках эпохи Ренессанса, построен около 1580 года, памятник народной культуры. После недавней реконструкции является филиалом Словацкой национальной галереи в Братиславе

74. Готический римо-католический костёл св. Анны в Стражках известен готическими фресками и готическими боковыми алтарями

75. Звонница в Стражках 1629 года в стиле Ренессанса

76. Типичным образцом словацкого Ренессанса является звонница в Врбове 1644 года. Марианский столб относится к 1730 году

77. Следующим историческим городом на Спиши является Спишска Бела. Возникла на месте словацково села, первые письменные сведения о ней относятся к 1263 году

78. Барокковый марианский столб Иммакулата 1729 года

79. Одна из экспозиций музея Петзвала в Спишской Белой

80. Доминантными сооружениями в Спишской Белой является костёл св. Антона-отшельника и родной дом Йозефа Максимилиана Петзвала, физика и математика, работавшего в Венском университете, изобретателя модерной фотографической оптики. В настоящее время в его родном доме организован музей фотографической оптики и техники

81. Бюст Йозефа Максимилиана Петзвала (6. 1. 1807–17. 9. 1891) перед родным домом

82. Оригинальный фотографический объектив высокой светочувствительности, сконструированный по расчетам Петзвала

83. Самым большим промышленным центром Подтатранской области является Свит. Здесь сосредоточена химическая, машиностроительная и трикотажная промышленность. Эти виды промышленности начали здесь возникать в 1934 году, когда фирма Батя начала строительство города и промышленных объектов

84. Дом культуры, построенный во Свите промышленником Батя. Здание с самого начала служит для проведения различных культурных мероприятий

85. Отель Лопушна долина в трёх километрах от Свита; отель расположен в прекрасном ареале с подъёмниками в двух направлениях, предоставляет посетителям идеальные условия для отдыха

86. Римско-католический костёл св. Йозефа во Свите был построенный в рекордном часе

87. Интерьер римско-католического костёла во Свите

88. Очень важным учреждением, от работы которого зависит целый ряд промышленных, сельскохозяйственных отраслей производства, транспорт и под., является метеорологическая станция в Гановцах

89. В центральной метеорологической лаборатории создаются синоптиками карты прогноза погоды

90. Запуск воздушного шара с метеорологическим зондом в Гановцах

91. У южного подножия Высоких Татр, в западной части Попрадской котловины,

лежит село Менгусовце. Первое упоминание о нем относится к 1398 году. Население когда-то было известно как мастера по изготовлению корыт, сегодня в селе занимаются животноводством

92. В суровых подтатранских условиях хорошо растет картофель. Вид на поля научно-исследовательской станции по производству картофеля в Велькой Ломнице

93. И цветок картофеля несет свою поэзию . . .

94. Колосья зерновых дозревают под татранскими великанами

95. Осень на склонах Спишской Магуры

96.–101. Овцеводство сегодня расширено на всей территории Подтатранской области. Во время прогулок в каждой долине вас сопровождает звук колокольчиков пасущихся овец. На первый взгляд – это идиллия, но на самом деле овцеводство требует мужественных мужчин и самоотверженного труда. Фотографии позволяют вам увидеть один день на шалаше в Липтовской Тепличке

102.–106. Столетия, начиная с древнейшей истории человечества, происходил процесс сближения человека и животного

107. Ранняя весна в Липтовской Тепличке, своеобразном селе у подножия Кралёвей голе. Основали его жители гор из Горней Оравы. Впервые упоминается в 1634 году

108. Во время когда колют свиней, распространяется по всей Липтовской Тепличке характерный аромат из домашних коптилен

109., 110. Нигде во всей Словакии не найдете винных погребов созданных глубоко под землей, как в Липтовской Тепличке. Они прежде всего предназначаются для хранения картофеля. Сегодня они охраняются законом как памятники народного быта

111., 112. Выношение морены – чучела из соломы, одетого в человеческое платье. Это старый обряд, восходящий еще к традициям язычества, сегодня этот обычай можем видеть в исполнении фольклорных ансамблей в Липтовской Тепличке. Вначале девчата носят морену по всей деревне, при этом поют, выкрикивают народные изречения, чтобы ее наконец-то – уже раздетую – могли спалить и бросить в реку. Этим символически закончится господство зимы

113., 114. Пасху приветствуют празднично одетые девчата из Батизовец. Здешние писанки – одни из красивейших в Словакии. Они создаются своеобразной техникой – выцарапыванием)

115. Среди цветущих весенних лугов любуемся подтатранскими селами – Шунява, Штрба, Татранска Штрба. Последнее из них – самое высоко расположенное село в Словакии (1 112 м)

116. Музыкант, играющий на фуяре

117. Девчата и женщины из Штрбы в праздничных нарядах

118. Первое историческое упоминание о селе Штрба относится к 1280 году. Расположено у южного подножия Татр, на границе Попрадской и Липтовской котловины, в истоках рек Попрад и Ваг

119. Здания основной школы в Татранской Штрбе своей архитектурой удачно вписываются в окружающий пейзаж. Это самая высоко расположенная школа в Чехо-Словакии

120. Мемориальная доска народному художнику Мартину Бенко на доме № 566 в Штрбе. Автор – акад. скульптор Имрих Святана, была открыта в связи со столетием со дня рождения художника

121. Новостройка районного учреждения в Штрбе построена с учетом стиля татранской архитектуры

122. Штрба под снежным покровом

123. Во время Рождественских праздников от дома к дому в Штрбе ходят ряженые и разыгрывают в стихах написанные пастушьи пьесы. Хорошая хозяйка поблагодарит их подарками и добрым словом. В настоящее время этот обычай разыгрывают юноши из фольклорного ансамбля „Штрбианчек"

124. Народный костюм пожилых женщин из Штрбы

125.–128. Когда в Батизовец масленица, на ногах вся деревня. Шествие ряженых, в котором соломенная шляпа, пузан, кузнец, сборщицы писанок, гармонист и певцы из местного фольклорного ансамбля, тянется по улицам. В каждом доме ряженые оставляют после себя какой-нибудь сувенир – чаще всего это вымазанные сажей розовые лица девчат. Это работа кузнецов, которые своими вымазанными руками оставляют следы на лицах девчат. Сборщицы яиц „посетят" каждый курятник и соберут все свежие яйца, которые снесли курицы. За хорошо исполненную песню все шествие наконец получает награду – рюмку водки и кусок свиного сала, колбасы или кусок пирога – и шествие продолжает свой путь . . .

129. На фоне прекрасных Высоких Татр в долине Белого Вага открывается вашему взору подтатранское село Важец в полной своей красоте. Возникло оно в 13 веке. В прошлом жители села занимались скотоводством и овцеводством, повалом и продажей леса и лесопильных изделий, изготовлением дранок, повозом и сплавом леса. Печальным эпизодом в истории села был повал 1931 года, когда превратился в пепел почти каждый дом . . . Сегодня это вновь построенное, радующее взгляд село, интересное и с точки зрения этнографии. Жил и работал здесь художник Татр – Ян Гала (1890–1959). Близко от села под землей находится известная сталактитовая Важецка пещера, которая своей красотой привлекает сюда ежегодно тысячи туристов. Символический Криваль – первая слева вершина Высоких Татр, если смотреть на всю панораму гор – кажется с такого угла зрения наивысшей вершиной. Но это оптический обман

130. Ян Гала: Отбеливание полотна, 1944, масло, 100 × 120 см, из собрания Татранской галереи в Попраде

131. Ян Гала: С ребенком, 1953, масло, 80 × 100, 5 см, из собрания Татранской галереи в Попраде

132.–138. В Вихдней с 1953 года систематически проходит заключительный смотр фольклорных ансамблей из всех регионов Словакии. Гостями смотров являются фольклорные коллективы из Чехии, Моравии и Силезии, а также из-за рубежа. В дни фестиваля все село празднично украшено, в окнах домов выставлены изделия местных мастеров народного искусства.

Фольклорный фестиваль начинается шествием через всю деревню, когда один ансамбль старается заглушить другой, веселье царит между участниками и зрителями. Все идут к амфитеатру, расположенному на верхнем конце села, украшенному народными мотивами, вырезанными из дерева, чтобы в течение двух дней в году отдаться своей большой любви – народному фольклору . . . И очень хорошо, что обычаи наших предков не умирают . . .

139.–141. С глубины примерно 1 км выбивается на поверхность земли термальная вода, температура ее 56–65° Цельсия, недалеко от села Врбов. В 1981 году здесь соорудили систему 6 бассейнов, которые служат для лечения и рекреации.

В летние месяцы ареал бассейнов взят в плен тысячами туристов. Термальная вода оказывает благоприятное влияние прежде всего на суставы

142. И в Попраде есть возможности наслаждаться кратким подтатранским летом

143.,144. Вашему вниманию представляются два самых высоких дерева под Татрами – пихта – королева Низких Татр – высота 41 м в обхвате 436 цм. Найти ее можно недалеко от дома лесника по дороге из Шунявы до Липтовскей Теплички. Липа, возраст которой примерно 600 лет, считается самой большой в Словакии. В обхвате достигает 745 см, высота примерно 20 м. Растет недалеко от хутова Пустовец около села Топорец

145. Интересной частью подтатранского региона является Горнадска котловина. С севера ее окаймляет Кози хребет, с югу – Низке Татры. Красивый вид на нее с Едлинскей вершины

146. Старая кузница в Краванах

147. Срубовые амбары в Викартовциах

148. Оригинальный готический римо-католический костел в Спишком Бистром, позднее перестроенный в неоготическом стиле

149. Спишске Бистре, впервые упоминавшееся в 1294 году, до 1948 года было известно под названием Кубахи

150. Горнадска котловина от Грановнице. На заднем плане Кози хребет, за ним – Высокие Татры

151. Вид на село Викартовце

152. По пути из Грановнице до Попрада проезжаем мимо Кветницы. Среди еловых лесов здесь в 90-ых годах прошлого столетия возник санаторий по лечению туберкулёза и легочных заболеваний. Центральное здание санатория после реконструкции

153. На границе Низких Татр и Словацкого Рудогория находится Вернар, возникновение которого относится к 1295 году. С 16 века принадлежит Муранскому панству

154. Небольшое озеро в ареале санатория в Кветнице. Это оазис тишины и чистого, способствующего лечению воздуха

155.–157. Нет под Татрами ни одной деревни и ни одного городка, куда бы весной не прилетели милые гости – аисты. Заботливо устраивают свои гнезда на старых и новых печных трубах, при этом игнорируют гнезда, которые им приготовили защитники природы. Так бывает и в селе Млиница. Осенью, когда настает время отлета в Африку, на полях проходят большие собрания и потом аисты все вместе улетают . . .

158. Вскоре ударят первые морозы, на деревьях появится иней, и подтатранские поля осиротеют . . .

159. Все чаще любители лыжного спорта с удовольствием используют склоны гор над Липтовскей Тепличкой

160. Точно также и дела и на лыжной базе в Вернаре. Освобождаются от перегрузки зимние базы в Высоких Татрах

161., 162. Поэзия зимы под Кралёвой голёй

163. Прекрасный зимний вечер на втором надвории Красного монастыря (Червеного Клаштора), известного памятника национальной культуры, лежащего в Пининах, на берегу реки Дунайца

164. Рефектар с ребристым ситевидным сводом, относящийся к 16 веку

165. Археологическая экспозиция в приорском домике знакомит с древнейшей историей Червеного клаштора

166. Портрет камалдулского монаха, рисунок на лавке картузианского костела в Красном монастыре (Червеном Клашторе)

167. Экспозиция сакрального изобразительного искусства

168. Фармацевтическая экспозиция, которая размещена в домике монахов, знакомит посетителей музея со средневековой фармацевтикой, которая на первое место всегда ставила благоприятное воздействие лечебных растений на организм человека. Здесь служил монах Киприан, ботаник, фармацевт и целитель, автор гербария целебных растений

169. Прекрасная природа и интересная история притягивают сюда постоянно тысячи посетителей, чтобы посмотреть Червеный Клаштор

170., 171. Работники Подтатранского музея в Попраде ежегодно на надвории Червеного клаштора готовят интересные выставки. В 1988 году это была выставка полевых чучел, а в 1989 году выставка пчелиных ульев

172. Вид на Червеный Клаштор с югу

173. Дом настоятеля и монастырский колодец на третьем надвории

174. Домик монаха, в котором жил монах Киприан

175. Действительно сказочную кулису создают Червеному Клаштору Три Короны – хотя они находятся на польской стороне, на другом берегу Дунайца

176.–183. Замагурские фольклорные торжества являются самыми большими фестивалями культуры всего Замагурия. Амфитеатр под Тремя Коронами оживает песнями горцев, народными обычаями и юмором. Выступают солисты, детские ансамбли и ансамбли взрослых с тем прекрасным, что сохранила сокровищница народного искусства в покосившихся, когда-то очень бедных деревянных срубах этого региона, называвшегося Северный Спиш

184. Жемчужина Замагурия – пролом реки Дунаец – предоставляет возможность туристам пережить необыкновенные ощущения – сплав на плотах из Червеного Клаштора до Леснице длиной 7 км. В то же время это самый удобный способ осмотра красот Пининского национального заповедника

185. Плотогоны на порогах Дунайца под Седьми монахами

186. Более известной в Пининском национальном заповеднике является эндемит заячий Завадская. Кроме Пининского заповедника и Урала это ростение нигде на земном шаре невстречается

187. Когда весной цветёт тарица горная, все серые скалы в проломе Дунайца оденутся в новый жёлтый наряд

188. Международный пининский слалом ежегодно привлекает на пороги Дунайца знатоков этого трудного спорта со всей Европы. Основателем этого вида спорта был в 1954 году Душан Веницкий, сегодня уже легендарная личность Замагурия

189. Центром Замагурия является город Спишска Стара Вес, которая впервые в исторических документах упоминается в 1272–1290 годах. Сегодня здесь развивается машиностроение и текстильная промышленность. Город – туристический центр походов в Пининском национальном заповеднике

190. Фасад римо-католического первоначально готического костела Вознесения Пречистой Девы Марии второй половины 14 века в Спишской Старей Вси. Перестроен в стиле барокко был в 1772 году

191. Каменный рельеф на южной стене костела в Спишской Старей Вси

192. Спишске Ганушовце

193.,194. Село Залесие было известно в 17 веке как хутор Недецкого панства. Село очень хорошо скрыто в Замагурских лесах, и сегодня здесь жизнь нельзя назвать легкой

195., 196. Красоты осенней природы

197. Остурня является резервацией памятников народной архитектуры. Экскурсию по ней начнем с верхнего конца села

198., 199. Заготовка дров на зиму – самое важное занятие в Остурне

200. На хозяйском дворе начинается работа, которая обеспечит урожай на узких торных полях

201. Девчата села Остурня в праздничном наряде с типичными красно-белыми украшениями на рукавах перед домом № 112

202.–207. Окно – око в мир. И хотя остурнянский мир невелик, для остурнян он краше всех . . .

208. Осеннее затишие около Остурни

209. Высокие и Белианске Татры со Спишской Магуры

210. Последние соприкосновения с подтатранской осенью

211. Ждиар – самая большая резервация памятников народной архитектуры в подтатранской области. Ее протяженность 7 км в подгории Беланских Татр, в непосредственном соседстве с Спишской Магурой. Поселение было заложено в 15 веке во времена валашской колонизации. Когда-то входило в Лендацкое панство. Сегодня довольно часто посещается туристами, которые прежде любуются народной архитектурой, своеобразной одеждой и способом жизни. Многие туристы с удовольствием останавливаются в деревянных срубах. Окрестности Ждиара предоставляют неограниченные возможности для туристики, а зимой здесь рай для лыжников на лыжных базах Под Прислопом и в Вахледовой долине

212. Крыша над колодцем в Ждиари

213. Зима пришла слишком скоро . . .

214. Яворина – последнее село на пути до Лисей Поляны, где проходит пограничный переход в Польшу

215. Вид на закоулки хозяйского двора в Ждиаре

216. Зимнее затишье в Лендаку

217. Склоны лыжной базы с трехместной канатной дорогой Татрапома в Вахледовой долине с панорамой Белианских Татр

218. Один из чаще всего попадающих на фотографии пейзажей ждиарской ранней весны. Деревянный сруб дома и хозяйские постройки создают типические закрытые дворы в стиле атрия. Синяя пакля между бревнами контрастна платине дерева и дранок

219. Интерьер ждиарской избы

220. Окно деревянного сруба в Ждиаре с типичным ждиарским орнаментом

221.–224. В Татранской котловине посетители обязательно идут на экскурсию в Белианску пещеру. Это единственная сталактиковая пещера в Татранском национальном заповеднике. Первыми ее открывателями были искатели золотых кладов. Самая старая надпись на стене Поющего зала относится к 1718 году. Вся длина известных ходов в пещере составляет 1752 метра, вход в пещеру находится на высоте 885 метров. Открыта для посетителей была 6 августа 1882 года, как одну из первых ее осветили электрическим освещением 29 ноября 1896 года

225.,226. Дождливый день под Татранской котловиной

227. С лугов подгорья

(228.–231.) Обратим внимание на словацкие реки, текущие в Татранской области

228. Белый Ваг возникает путем слияния Зломисковего и Фуркотского потоков под дорогой свободы, поэтому считается, что у него нет истока. Течет в горах, пробиваясь густыми татранскими лесами

229. Река Попрад тоже возникает слиянием потоков Гинцова и Крупа, вытекающего из Попрадского плеса (озера). Первые метры его видим в Менгусовской долине

230. Чистая, как хрусталь, вода, вытекающая из деревянного желоба, – исток реки Горнад. Найдем его в горном массиве Низких Татр, недалеко дороги, ведущей из Викартовиец до Липтовскей Теплички

231. Черный Ваг, его исток находится под легендарной Кралёвой голёй, извивается как серебряная лента между цветущими лугами, чтобы своими водами наполнить находящееся в нескольких километрах отсюда водохранилище того же назначения, вырабатывающее экологически чистую электроэнергию. От Кралёвей Лехоты уже вместе с Белым Вагом текут как самая большая река Словакии – Ваг

(232.–241.) Только некоторые области нашей республики могут похвалиться таким разнообразием транспортных средств, как в Высоких Татрах и их окрестностях: до Попрада, который считается воротами наших самых малых больших гор в мире, можно прилететь самолетом, приехать поездом, автобусом или собственным автомобилем. В области Татр преобладает электричка, которая ходит от Попрада до Старого Смоковца, оттуда на Штрбске Плесо и до Татранскей Ломнице. В высоко расположенных областях Татр используются специальные транспортные средства, наземные или воздушные. Желание всех татранцев исключить использование на всей территории Татр автомашин, моторы которых работают на горючих смесях и которые являются главными загрязнителями окружающей среды. Удастся ли это сделать, покажет время

232. Утро на Скальнатом Плесе

233. Дорогой от Велькей до Татранскей Ломнице

234. Поземная канатная дорога из Старого Смоковца на Гребиенок

235. Зубчатая железная дорога из Штрбы на Штрбске Плесо

236. Конечная остановка канатной дороги на Солиску

237. Электричка из Попрада до Старого Смоковца

238. Канатная дорога с отдельными седениями со Скальнатого Плеса до Ломницкого седла

239. Канатная дорога с кабинками на Ломницкий щит, на заднем плане обсерватория Словацкой Академии Наук на Скальнатом Плесе

240. Туристический автобус перед отелем Bellevue

241. Старая и новая канатная дорога с кабинками из Татранскей Ломнице на Скальнате Плесо

242. Штрбске Плесо чаще всего посещают туристы, это центр туристики в Высоких Татрах. Озеро находится на 1350 м над уровнем моря среди неповторимых по своей красоте Татранских вершин. Летом оно притягивает туристов возможностями прогулок в окрестные долины и подъемов на вершины гор. Зимой здесь неограниченные возможности лыжным спортом заниматься и проводить возможные соревнования в классических дисциплинах лыжного спорта в Ареале снов. Вернуть здоровье пациентам, страдающим заболеваниями верхних дыхательных путей, помогают комплексы лечебных учреждений Гелиос, Гвиездослав, Кончиста. Для более требовательных посетителей предоставляются гости-

RIASSUNTO

PAESE SOTTO I MONTI TATRA

Il nostro viaggio per il paese are le pendici dei Monti Tatra, come lo dimostrano anche le trecentotrentatre fotografie del libro, si svolge nella parte nord-est della Slovacchia. L'itinerario percorre la Liptov Alta e la Spiš Settentrionale. In poche parole, c'immergiamo insieme nella bellezza singolare e irripetibile dei Tatra Alti e del paese che si stende ai loro piè.

PAESE SOTTO I MONTI TATRA

Paese simbolo eterno della Slovacchia, paese rigido, ma anche ridente, paese circondato da leggende e favole, paese pieno di bellezza inebrianti e di attività fonte della ricchezza inesauribile accumulata nell'arco di secoli. È impossibile raccontare tutte le storie e mostrare tutto, è impossibile prendere tutte le sorgenti della vita ivi esistenti dalla remota antichità. Le trecentotrentatre fotografie simboliche testimoniano i risultati delle generazioni precedenti, il loro messagio da tradurre in atto dalla contemporaneità.

PAESE SOTTO I MONTI TATRA

Nessun'altra zona della Slovacchia è stata dotata di tanta richezza e varietà delle configurazioni naturali, come il Bacino di Poprad e di Hornád o la Spišská Magura con i suoi raggruppamenti naturali articolaltissimi. La vasta gamma di questo tappeto variopinto è ricamato dalle bellezze visibili ed invisibili delle forme e colori dei campi di grano e dei prati, rinfrescati da una multitudine di ruscelli e torrenti. Sul cielo coperto di stelle splende una pleiade di stelle di prima categoria. La loro luce arriva anche ai canti più nascosti della Liptov Alta e della Zamagurie, casa paterna di una gente diligente e sincera, sorgente di una cultura popolare molto particolare.

PAESE SOTTO I MONTI TATRA

Grazie agli archeologi ed agli storici possiamo dire crgogliosamente, che nonostante la vita ed il lavoro monotono del popolo sotto i Tatra Alti, vi furono create delle opere materiali e spirituali di valore inapprezzabile. Le prime traccie dell'insediamento umano di questo paese ci lasciò 117 mille anni fa l'Uomo ci Neandertal che viveva nella zona carsica calda a Gánovce. Le estati seguirono le primavere, una generazione venne sostituita dall'altra, cambiò anche la vita del popolo alle pendici dei Tatra. Il popolo nativo fu raggiunto dai coloni tedeschi che senza dubbio riuscirono ad arricchire il lavoro contadino con la loro abilità artigianale. Dal secolo XIII il paese si mise a uno sviluppo incomparabile. Le case in legno furono sostituite dalle case di pietra, fu costituita e costruita una serie di città e cittadine con chiese, monasteri e fortificazioni molte di cui divennero dei centri significanti dell'industria manufattrice e del commercio. L'abilità costruttiva dei maestri di quell'epoca ancora oggi merita tanto ammirazione come rispetto.

PAESE SOTTO I MONTI TATRA

Piú volte durante la storia millennaria della Slovacchia il paese sotto i Tatra doveva interpretare un ruolo decisivò. La situazione evolvette in modo che divenne protettore ed anche retroterra per le altre zone della Slovacchia aperta da sempre alle incursioni di tanti invasori. Molte volte era la vita pura per cui si faceva la battaglia. Nonostante la catena della fortificazione naturale offerta dai Tatra Alti, il popolo non fu mai risparmiato dal terrore della guerra. Quante strage furono fatte dai tartari, più tardi dagli ussiti, dagli svedesi, ed anche dall'esercito dello strapotente Napoleone ed altri! Le strage ultime terminarono nel 1945. Dopo quest'anno indimenticabile il rumore delle armi svanì pero vennero altri eventi che oggi nessuno capisce. I lunghi 40 anni fino al notabile 17. novembre 1989 dovranno essere valutati dalle nuove generazioni.

PAESE SOTTO I MONTI TATRA

Lasciamo adesso la storia e ritorniamo al paese sotto i Tatra che con le sue rocce fredde sempre esercitava grande influenza sul carattere del popolo. La ricca cultura spirituale ci ha conservato una serie di leggende, canti e melodie sottolineati dai costumi e dalle usanze. Questi si vedono anche oggi nei giorni di festività religiose e pùbbliche. Vengono conservate per altre generazioni dai gruppi folcloristici, musicisti e dai cori musicali. Sono sempre meno numerosi quelli che conoscono la letteratura popolare, o l'interpretano, perciò queste geme del nostro retaggio devono essere raccolte in forma di libri. L'arte popolare della regione sotto i Monti Tatra porta le traccie di elementi di più regioni etniche – nessuna regione ne ha di più nella Slovacchia. L'ovest risuona dei canti e delle usanze della Liptov Alta e della Horehronie che poi sono sostituite dalle melodie degli insediamenti nel Bacino di Hornád verso l'est. Il Bacino di Poprad conserva un po'meno di queste melodie popolari. Ci salutano i gorali orgogliosi sotto il monte Spišská Magura.

PAESE SOTTO I MONTI TATRA

Passe particolare – attrattivo per una natura splendida, per i suoi monumenti storici e prima di tutto per il suo popolo che vive nell'ultima decade del secolo XX e del secondo millènnio. Era il popolo che l'ha trasformato, modificato, ristrutturato nella forma di oggi. L'occhio del fotografo è straordinariamente sensitivo. Anche questo libro rispecchia questa sensitività. Le fotografie sono apparentemente più belle della realtà perche gli ultimi decenni erano assai crudeli. Si rovinava, si demoliva. La natura ha perso molto dalla sua vivacità; si sciupavano, si consumavano i monumenti storici. Saranno forse soltanto le generazioni future che potranno valutare bene gli interventi insensibili. L'uomo – ammiratore si è trasformato in uomo – turista. È vero che anche i turisti appartengono agli amatori, agli entusiasti del paese. Una vasta gamma delle costruzioni create per aumentare il turismo nei Tatra Alti e nei dintorni è sempre disposta ad accogliere i turisti con buona cucina e parole cordiali.

Il ritmo della vita troppo veloce, la motorizzazione, lo sviluppo dell'industria e dei servizi, non hanno concesso tempo nè alla gente nè alla natura per una rigenerazione sana – si è dimenticato che non tutto quello che è vecchio è anche cattivo, da buttar via, che anche il vecchio può risplendere bellezza rinnovata. È vero, abbiamo scordato com'è bello il mondo che ci circonda. Nonostante disponiamo delle possibilità per salvare quello che si può. Possiamo ammirare la flora preziosa e la fauna rara dei Tatra Alti e dopo uno sorso di acqua pura dalla fontana tatrese possiamo fissare lo sguardo sulle vette gigantesche dei Tatra. Poi guardando la valle cerchiamo di indovinare i nomi dei paesi e delle cittadine nella distanza. Tutta questa irripetibilità e singolarità del passato e del presente del paese viene conservato non soltanto negli archivi e nei musei, ma è presente dappertutto intorno a noi. Questo paese attirava l'uomo dall'antichità, lo stimolava per creare un mondo suo tra l'armonia e la bellezza naturale che è impressionante anche adesso dopo tanti millènni.

PAESE SOTTO I MONTI TATRA

Dunque, caro lettore, sfoglia le pagine del libro e lasciati impressionare dalla bellezza risplendente dalle trecentotrentatre fotografie. Il paese sotto i Tatra è molto generoso ed accoglie tutti quelli che arrivano con buona fede.

DESCRIZIONE DELLE FOTOGRAFIE

1. Veduta dal monte Lomnický štít del monte Kráľova hoľa, coperto di nuvole sopra il Bacino di Poprad
2. Veduta panoramica di Poprad con i Tatra Alti
3. Hrádok a Gánovce, cupola di travertino, conosciuta grazie alla scoperta della copia del cranio nel travertino dell'Uomo di Neandertal risaliente all'ultima epoca glaciale, testimonio dell'inizio della storia dell'insediamento del Bacino di Poprad
4. Burich, presso il paese Veľký Slavkov, località conosciuta per le ricche scoperte del periodo neolitico, del bronzo, del periodo Hallstatt ed anche dell'epoca Romana Alta. Le scoperte slave risalgono ai secoli IX–XI
5. Il pilone vicino a Štrba richiama l'estinzione della colonia medievale, Šoldovo
6. Gerlachovský štít, il monte più alto dei Tatra Alti e della Slovacchia
7. La Poprad storica
8. Il campanile rinascimentale con attico della facciata e la torre primo gotica della chiesa cattolica di S. Egidio a Poprad, 1220–1230
9. Podtatranské múzeum, il Museo di Poprad, 1886
10. I pezzi dominanti dell'esposizione nel Podtatranské múzeum. Scoperte da Gánovce-Hôrka
11. Monete celtiche da Burich
12. Elmo celtico
13. Testa dell'Uomo di Neandertal ricostruita secondo il cervello stampato nel travertino
14. Poprad, all'alba

(15.–22.) Poprad. La città nuova

15. Il Comune
16. PRIOR, il supermercato
17. Všeobecná úverová banka (Banca di Credito Universale), e gli alberghi Satel e Gerlach in fondo
18. La casa di servizi publici
19. L'ospedale ed il Policlinico
20. I negozi e le case della zona pedonale
21. La piscina
22. Lo stadio del Ghiaccio
23. Centro di commercio e di amministrazione
24. Hotel Poprad
25. Veľká – sobborgo di Poprad
26. Ostensorio gotico da Poprad – Veľká
27. Ingresso al Parco di monumenti in Spišská Sobota
28. Spišská Sobota. Cittadina, prima autonoma, poi, dall'anno 1945, aggiunta a Poprad, fu dichiarata città monumento nel 1959. Veduta delle case borghesi medievali
29. Balcone sopra il portone della casa rinascimentale, No. 41
30. Lapide commemorativa allo scultore barocco Giovanni Brokoff, nato a Spišská Sobota e diventato famoso per le sue statue sul ponte di Carlo a Praga, sulla casa No. 27, costruita nel 1740
31. Spišská Sobota, decorazione di stucco della facciata di una casa borghese
32. Inverno nel parco municipale. Monumento ai caduti del 1848 e della prima guerra mondiale
33. Spišská Sobota, Colonna Mariana, barocca, 1772
34. La Chiesa di S. Giorgio, cattolica, metà del secolo XIII, originariamente romana, ricostruita nello stile gotico nel 1464 e più tardi nello stile barocco nel secolo XVIII. Il campanile rinascimentale del 1958 è provisto di un attico barocco del 1728. L'interno della chiesa è ricco in pezzi gotici appartenenti tra i più belli non soltanto nella Spiš ma anche in Europa. Considerato incomparabile è l'Altare Maggiore con le sculture in legno del Maestro Paolo di Levoča dal 1516
35. Veduta della navata della Chiesa di S. Giorgio a Spišská Sobota. Davanti: un gruppo di plastiche della Calvaria dal 1489
36. S. Giorgio a cavallo (117 × 180 cm), plastica sull'Altare Maggiore
37. Dettaglio dell'Ultima Cena, l'Altre Maggiore
38. Altare gotico portatile con una plastica di Gesú in Croce dal 1489–1490 considerato unico del suo genere
39. Spišská Sobota; la Chiesa di S. Giorgio: la navata doppia nella parte occidentale con l'organo del primo barocco (ca 1700) costruito da Gross di Spišská Sobota
40. Batizovce, l'interno della Chiesa di Tutti i Santi. La costruzione originariamente romana, secolo XIII, fu soggetta a varie modificazioni gotiche nel secolo XIV e XV. L'altare della Vergine, di S. Dzimo e di S. Giuseppe risalgono al periodo 1764–1767
41. Portone Romano – resti della costruzione originale della Chiesa di Tutti i Santi a Batizovce
42. La Coronazione e la Morte della Vergine. Affreschi gotici nella Chiesa di Tutti i Santi a Batizovce, metà del secolo XIV
43. Chiesa di Re Stefano, seconda metà del secolo XIII e campanile della fine del 15 secolo a Matejovce
44. Matejovce, Gesú in Croce: plastica gotica, il pezzo più pregiato nella chiesa di Re Stefano dalla prima metà del secolo XIV (1327?)
45. Matejovce, interno della chiesa romana. Fu ricostruita nello stile gotico tra il 1424 ed il 1434. Il pezzo più pregiato è l'Altare Maggiore di S. Margherita, alto barocco, dell'inizio del secolo XVI del Maestro Paolo di Levoča. A destra, l'altare laterale di S. Nicolo, il vescovo, alto gotico
46. Veľká Lomnica, la Leggenda di Ladislao: affreschi nella sagrestia della Chiesa di Caterina d'Alessandria. La battaglia di S. Ladislao con i Cumani
47. Veľká Lomnica, la Chiesa di S. Caterina d'Alessandria, romano-gotica, metà del secolo XII e la parte orientale dei Tatra Alti
48. L'altare della Vergine, alto gotico, 1493, appartiene ai pezzi più pregiati del gotico
49. La navata doppia della Chiesa di S. Caterina. Le navate doppie sono tipiche delle chiese gotiche nella Spiš
50. L'autunno a Veľký Slavkov. Il primo documento scritto sul paese risale al 1251. Più tardi fu colonizzato dai tedeschi e fu incluso tra la Comunità di Sassoini della Spiš cosi come le altre città e paesi della Spiš
51. Veduta del Bacino di Poprad con Kežmarok. Questa città fu una delle più importanti nella Spiš del Medioevo. A causa del gran numero di monumenti storici il centro storico fu dichiarato Parco di Monumenti. La città fu menzionata nel 1251 sotto il nome di Villa circa Ecclesiam Beate Elisabeth. Il territorio fu pero insediato già nel periodo neolitico ed eneolitico. Ricche sono anche le testimonianze della prima a tarda età del bronzo e dell'età Hallstadt. Vi sono pero anche evidenze di insediamenti nel periodo romano e slavo. Si dice che il nome attuale della città deriva dal nome tedesco dell'insidiamento conosciuto per il suo articolo più venduto, il formaggio (Käse – Markt). Gli storicci pero continuano a fare delle polemiche sull'argomento
52. Documento reale dal 1463 che conferisce alla città libera reale di Kežmarok il diritto di utilizzare la stemma della città
53. Veduta della torre del Palazzo Municipale di Kežmarok con i Tatra Alti dietro. Il Palazzo Municipale, costruito nel 1461, opera del Maestro Giorgio di Spišská Sobota, fu ricostruito più volte, (1541–1553, 1799, 1922, 1967–1970)
54. Hradné námestie (Piazza del Castello) a Kežmarok con case borghesi con tetti tipici a sella gotico-rinascimentali
55. Il Veglione nello stile classicistico, 1818
56. Case borghesi, provviste di portoni ad archi che danno sulle vie laterali
57. Veduta del campanile rinascimentale (1589–1591) e della parrochia della Chiesa della S. Croce, tardo gotico, (1444–1498,)
58. In 1991 in Kežmarok la tradizione ardigianale si risvegliò a nuova vita
59. Chiesa della S. Croce a Kežmarok, bacino battesimale, con coperchio gotico di bronzo del 1472; appartiene ai monumenti più pregiati
60. Veduta della navata della Chiesa della S. Croce con la volta gotica a stella e l'organo barocco
61. Interno della Chiesa costruita in legno a Kežmarok, 1717, opera dell'architetto Giorgio Muttermann. Monumento nazionale
62. Chiesa bisantina evangelica costruita tra il 1879 ed il 1982 dall'architetto Theofil von Hansen, da Vienna
63. Il Castello di Kežmarok, originariamente tardo gotico del secolo XIV–XV. Fu ricostruito nello stile rinascimentale verso la fine del secolo XVI e nel 1642. L'ultima ricostruzione del castello avenne nel 1945. Durante i secoli si cambiarono anche i proprietari del castello, tra cui la guarnigione di Jiskra, Emerico Zápoľský, Stanislao Thurzo o Stefano Thököly. Nel 1931 fu arredato qui il Museo di Kežmarok
64. L'esposizione della corporazione dei calzolai
65. Arme storiche, secolo XVII–XIX

66. Pianta illustrata della regione tatrese e cartina geografica plastica dei Tatra Alti, Museo di Kežmarok
67. Mobili dell'aula del Palazzo Municipale, Museo di Kežmarok
68. Interno della capella castellana, primo barocco, 1658
69. Capella castellana: il cortile interno
70. Il Liceo di Kežmarok, conosciuto per tutto l'imperio austro-ungarico. Qui studiavano i patrioti slovacchi piú importanti. La biblioteca del liceo possiede un gran numero di libri rari
71. Dettaglio della facciata del Liceo di Kežmarok. Monumento nazionale
72. Strážky, il cortile del castello
73. Strážky, castello rinascimentale, 1570–1590. Monumento nazionale. Dopo la sua ristrutturazione vi risiede la Galleria Nazionale Slovacca di Bratislava
74. Strážky, la Chiesa di S. Anna, gotica, cattolica, con una navata conosciuta per gli affreschi gotici e pale ad ale gotiche
75. Strážky, il Campanile, rinascimentale, 1624
76. Vrbov, il Campanile, 1644, esempio tipico dell'architettura rinascimentale della Spiš e la Colonna Mariana, 1724–1730
77. Spišská Belá, un'altra città storica della Spiš. Fu creata da un insediamento slovacco. Le prime note risalgono al 1263
78. Colonna Mariana dell'Immaculata, barocca, 1729
79. Spišská Belá, mostra nel Museo di Petzvald
80. Spišská Belá; gli edifici dominanti: la Chiesa di San Antonio l'Eremita ed il Museo dell'Ottica e Tecnica Fotografica, la casa paterna di Josef Maximilian Petzval, fisico e matematico, professore dell'Università di Vienna, padre dell'ottica fotografica moderna
81. Il busto di Josef Maximilian Petzval (6. 1. 1807–17. 9. 1891) davanti alla sua casa paterna
82. Obbiettivo fotografico a luminosità grande, messo in una camera metallica, costruito dall'ottico Voigtlander secondo i calcoli di Petzval
83. Svit. Il centro industriale più grande della regione con l'industria chimica, meccanica e tessile. Fu costituita nel 1934 quando la ditta Bata iniziò la construzione della città e delle fabbriche
84. Centro di ritrovo a Svit, utilizzato per attività sociali e culturali
85. Hotel nella valle Lopušná dolina, 3 km da Svit in un ambiente stupendo con ski lifts, offre opportunità eccelenti per la ricreazione
86. La Chiesa di S. Giuseppe, cattolica, costruita in un tempo brevissimo a Svit
87. L'inteno della chiesa cattolica a Svit
88. Gánovce: stazione meteorologica, importante per la vita di una serie di industrie, quali agricoltura, trasporto etc
89. Stazione meteorologica: il laboratorio centrale per la valorizzazione delle cartine sinottiche per servizi meteorologici
90. Gánovce: pallone sonda
91. Mengusovce: sulle pendici meridionale dei Tatra Alti, parte occidentale del Bacino di Poprad. I ricordi scritti risalgono al 1398. Una volta i paesani si occupavano della fabbricazione di trogoli, adesso dell'allevamento del bestiame e della produzione di latte
92. Veduta dei campi della Stazione di Ricerca di Patate a Veľká Lomnica. Le condizioni rigide della regione favoriscono la coltivazione delle patate
93. La poesia del fiore di patate
94. Le spighe di grano sotto i giganti tatresi
95. L'autunno sul declivio della Spišská Magura
96.–101. L'allevamento di pecore. L'attività più comune della regione tatrese. Le passeggiate sono dappertutto accompagnate dal suono del campanaccio delle pecore pascolate sulle colline. Alla prima vista idillio, però è un lavoro che richiede uomini forti e serietà. Un giorno nella cascina a Liptovská Teplička
102.–106. L'uomo e l'animale, il processo di avvicinamento continua dai periodi preistorici dell'umanità
107. L'inizio della primavera a Liptovská Teplička, sotto del monte Kraľova hoľa, fu fondato dai colonizzatori gorali dalla Horná Orava. Il primo ricordo scritto risale al 1634
108. Liptovská Teplička d'inverno. Dopo le maialature si sente l'odore tipico degli affumicatoi dei paesani
109., 110. Liptovská Teplička: cantine scavate nel suolo, uniche nella Slovacchia, usate per il magazzinaggio invernale delle patate. Monumenti culturali
111., 112. La festa della Morena; un costume antico risalente ai tempi pagani. Gruppo folcloristico di Liptovská Teplička. Le ragazze camminano per tutto il paese cantando, recitando sentenze popolari, portando la Morena fatta di paglia per accenderla ed alla fine per spogliarla e buttarla nel ruscello. Con questo termina simbolicamente il regno dell'inverno
113., 114. Pasqua a Batizovce: ragazze nei costumi folcloristici. Le uova pasquali decorati si trovano tra i più belli nella Slovacchia
115. Veduta dei prati primaverili in fiori e dei paesi Šuňava, Štrba e Tatranská Štrba; l'ultimo è l'insediamento situato in più alto sopra il livello del mare (1 112 m)
116. Štrba. Zufolista
117. Štrba. Ragazze e donne nei costumi festivi
118. Štrba. Il primo ricordo scritto risale al 1290. È situato sul piè meridionale dei Tatra, sulla frontiera dei bacini di Poprad e di Liptov dove sorgono i fiumi Poprad e Váh
119. Tatranská Štrba: la scuola elementare con un'architettura armonizzante con l'ambiente. La scuola situata più in alto sopra il livello del mare nella Cecoslovacchia
120. Lapide commemorativa al pittore Martin Benka, artista nazionale, casa No. 566 a Štrba, opera dello scultore Imrich Svitana, inaugurata nel centesimo anniversario della nascita del pittore
121. Štrba, il Palazzo Comunale. Stile tatrese
122. Štrba sotto la neve
123. Natale a Štrba. I betlemiti presentano una scena pastorale a versi. La buona massaia concede loro dei regali e delle lodi. Rappresentazione della tradizione dal gruppo folcloristico Štrbianček
124. Štrba: il costume delle donne anziane
125.–128. Batizovce: il carnevale. La mascherata con il capellone, il panciore, i ferrai, le merciaie, l'armonicista ed i cantanti del gruppo folcloristico locale, passa per tutte le vie e lascia delle impronte in ogni casa dove entra. Il piú spesso, le guancie annerite delle ragazze sono i ricordi dei ferrai. Le merciaie „visitano" ogni gallinaio a raccolgono tutte le uova che trovano. Alla fine per una canzone bella viene pagata tutta la mascherata con grappa, un pezzo di pancetta, salciccia o focaccia e si va avanti . . .
129. Veduta panoramica di Važec nella valle di Biely Váh con la catena pittoresca dei Tatra Alti. Važec fu fondato nel secolo XIII. Prima gli abitanti si occupavano dell'allevamento del bestiame e delle pecore, coltivazione e vendita di legname e prodotti delle segherie, costruzione di tetti di assicelle. Erano carrettai e zatterieri. Un evento triste fu l'incencio dell'anno 1931 quando andò in preda alle fiamme quasi ogni casa del paese. Oggi il paese interessante dal punto di vista etnico è tutto nuovo, ben fatto. Qui viveva il pittore dei Tatra Alti, Ján Hála (1890–1959). Vicino, sotto la terra, si trova la grotta stalagmitica che è visitata da migliaia di persone. Kriváň, il primo monte da sinistra come se fosse la vetta più alta. Si tratta soltanto di un'illusione
130. Ján Hála: Imbianchimento del lino, 1944, quadro ad olio, 100 × 120 cm, Tatranská galéria, Poprad
131. Ján Hála: Con il figlio, 1953, quadro ad olio, 80 × 100,5 cm, Tatranská galéria, Poprad
132.–138. Východná: Festival folcloristico dei gruppi da tutte le regioni della Slovacchia organizzato regolarmente ogni anno dal 1953. I gruppi, ospiti, arrivano dalla Bohemia, dalla Moravia e dalla Silesia ed anche dall'estero. Questi giorni il paese é decorato con i prodotti dell'arte popolare, opere degli artigiani locali. Il festival viene aperto dalla sfilata che passa per il paese. I gruppi gridano, cantano. C'è molta allegria tanto tra i partecipanti come anche tra gli spettatori. Tutti vanno all'anfiteatro decorato da sculture in legno per poter dedicarsi al loro grande amore – al folclore . . . I costumi dei nostri padri non scompariranno
139.–141. Acqua termale vicino a Vrbov. Dal a profondità di 1 km della terra sorge l'acqua di 56–65 °C. Dal 1981 ci furono costruite 6 piscine per cure e ricreazione. Ci vengono migliaia di visitatori durante i mesi estivi. L'acqua termale benefica gli organi di movimento
142. Poprad: i piaceri dell'estate tatrese breve
143., 144. I due alberi più grandi dei Tatra: l'abete, re dei Tatra Bassi, alto 41 m, con perimetro del tronco di 436 cm. Si trova nella valle Kubíčkova dolina vicino alla casa dei guardaboschi accanto alla via da Šuňava a Liptovská Teplička. Il tiglio l'etá del quale può superare 600 anni, è probabilmente il più grande nella Slovacchia. Il perimetro del tronco all'altezza del petto è 745 cm ed è alto 20 m. Cresce nella fattoria Pustovec presso il paese Toporec
145. Il Bacino di Hornád, una parte interessante della regione tatrese demarcata da Kozí Chrbát dal nord e dai Tatra Bassi dal sud. Veduta panoramica dal monte Jedlinská
146. Kravany: Fucina
147. Vikartovce: Granaii in legno
148. Spišské Bystré: la Chiesa cattolica originariamente gotica, più tardi ristrutturata nello stile neogotico
149. Spišské Bystré: il primo documento scritto sull'insediamento risale al 1294. Fino a 1948 si chiamava Kubachy
150. Veduta del Bacino di Hornád da Hranovnica, Kozí Chrbát ed i Tatra Alti
151. Veduta di Vikartovce
152. Kvetnica: il sanatorio per le malattie polmonari costruito negli anni novanta del secolo scorso sulla via da Hranovnica a Poprad
153. Vernár: la frontiera tra i Tatra Bassi e Slovenské rudohorie (Monti Metalliiferi Slovacchi). Fu insidiato nel 1295. Dal secolo XVI apparteneva ai latifondisti di Muráň
154. Kvetnica: laghetto nel Sanatorio, un'oasi con aria pura e fresca benficante la cura
155.–157. Mlynica: cicogne, arrivano a primavera a tutti i paesi ed a tutte le cittadine. Fanno i nidi sui comignoli vecchi e nuovi „boicottando" i nidi fatti per loro dai protettori della natura. D'autunno si riuniscono sui campi per poter poi partire insieme per l'Africa
158. Fra poco arriva il gelo, il freddo brina gli alberi ed campi tatresi vengono abbandonati
159. Liptovská Teplička: sciatori sui terreni da sci
160. Vernár: piste da sci che accolgono turisti per diminuire il sovraccarico delle piste nei Tatra Alti
161., 162. Kráľova hoľa: la poesia dell'inverno
163. Červený Kláštor, Pieniny, sulla riva del fiume Dunajec: una sera invernale sul secondo cortile castellano. Monumento nazionale
164. Refettorio con volta a vela, secolo XVI
165. Červený Kláštor: casa del priore. Mostra archeologica. La storia di Červený Kláštor
166. Monaco kamadulese: pittura sul banco nella Chiesa cartesiana a Červený Kláštor
167. Esposizione dell'arte sacrale
168. Esposizione farmaceutica, la casa dei monaci: la medicina medievale basata sugli effetti favorevoli dell'erbe medicinali sul corpo umano. Qui viveva e lavorava il monaco Cyprian, botánico, farmacista e medico, autore del erbario delle piante medicinali
169. Červený Kláštor: l'ambiente bellissimo e la storia interessante attraggono migliaia di visitanti
170., 171. Červený Kláštor: mostre interessanti organizzate dai museologhi di Podtatranské Múzeum a Poprad. 1988: spauracchi campestri, 1989: arnie
172. Veduta di Červený Kláštor, lato meridionale
173. Červený Kláštor, il terzo cortile castellano. la Casa del Priore
174. Červený Kláštor: la Casa del Monaco Ciprian
175. Tri Koruny, sul territorio polacco, la riva opposta del fiume Dunajec: la quinta da favole di Červený Kláštor
176., 183. Tri Koruny: Festival folcloristico di Zamagurie. L'evento culturale più importante della Zamagurie. L'anfiteatro sotto Tri Koruny echeggia dai canti gorali; costumi popolari ed umore dei gruppi folcloristici di adulti e di bambini; la ricchezza piú bella conservata nelle piccole, povere casette di legno del a zona chiamata anche la Spiš Alta
184. Dunajec: il fiume, perla della regione Zamagurie, offre un'impressione straordinaria, in viaggio su zattera da Červený Kláštor a Lesnica lungo 7 km. Il modo più comodo per godere i panorami bellissime del Parco Nazionale di Pienini
185. Zatterieri sul Dunajec sotto Sedem mníchov (i sette monaci)
186. Chrysanthema Zawadskii: il fiore più pregiato del Parco Nazionale di Pienini. Oltre a Pienini e gli Urali non cresce in nessuna parte del mondo
187. Primavera: alyssum saxadile. Tutte le grige roccie del Dunajec indossano un abito giallo
188. Slalom internazionale di Pienini, fondato dal leggendario patriota della Zamagurie, Dušan Benický, nel 1954. Ogni anno s'incontrano qui i seguaci di questo sport esigente
189. Spišká Stará Ves – centro della Zamagurie. Il primo ricordo scritto risale a 1326. La città ocierna sviluppa l'industria meccanica e tessi e ed è il punto di partenza per le gite turistiche al Parco Nazionale di Pienini
190. Spišská Stará Ves, facciata della Chiesa della Salita della Vergine al Cielo, cattolica, seconda parte del secolo XIV, ricostruita in stile barocco nel 1772
191. Spišská Stará Ves. Rilievo di pietra sulla parete meridionale della chiesa
192. Spišské Hanušovce
193., 194. Zálesie: proprietà nel secolo XVII dei latifondisti di Nedec, nascosto nei boschi della Zamagurie dove la vita non è facile neanche oggi
195., 196. Autunno

Copertina: davanti
Sui prati nei Tatra Alti. I danzatori del Gruppo folclorico Magura in costumi goralici

Copertina: dietro
Veduta del monte più alto della Slovacchia, Gerlachovský štít (2 655 m) da Východná Vysoká. Gentiana Clusii

Kraj pod Tatrami

V 333 FAREBNÝCH FOTOGRAFIÁCH

ALEXANDER JIROUŠEK

Zostavovateľ:
ING. ALEXANDER JIROUŠEK

Prebal, razidlo, väzbu navrhla a graficky upravila
VERONIKA KRAMÁROVÁ
Autor textu
VLADIMÍR MAJOVSKÝ

Autor fotografií a textov k nim
ING. ALEXANDER JIROUŠEK

Autori ďalších fotografií
IVOR MIHÁL (č. 301, 302, 303), ŠTEFAN PÉCHY (č. 61), IVAN URBANOVIČ (č. 284, 285)

Autori cudzojazyčných prekladov
IRENA BOJSZOVÁ (angličtina), PhDr. MARION BUJŇÁKOVÁ, CSc. (nemčina), doc. GALINA BANIŠEVOVÁ, CSc. (ruština), doc. PhDr. KAREL SEKVENT, CSc. (francúzština), EDIT BARTKOVÁ (taliančina)

Vydalo Vydavateľstvo Oriens Košice pre ZKO Tatraľan, s. r. o.,
a Folklórny súbor MAGURA Kežmarok roku 1994

Vydanie tretie

Vytlačili Východoslovenské tlačiarne, š. p., Košice

ISBN 80–967220–5–0